한국어(bahasa Korea)

동사(verba) 290

형용사(adjektiva) 137

bahasa Indonesia(인도네시아어)
edisi terjemahan(번역판)

< 저자(penulis) >

㈜한글2119연구소

· 연구개발전담부서

· ISO 9001 : 품질경영시스템 인증

· ISO 14001 : 환경경영시스템 인증

· 이메일(surat elektronik) : gjh0675@naver.com

< 동영상(video) 자료(data) >

HANPUK_bahasa Indonesia(penerjemahan)
https://www.youtube.com/@HANPUK_Indonesian

제 2024153361 호

연구개발전담부서 인정서

1. 전담부서명: 연구개발전담부서

   [소속기업명: (주)한글2119연구소]

2. 소　재　지: 인천광역시 부평구 마장로264번길 33
   상가동 제지하층 제2호 (산곡동, 뉴서울아파트)

3. 신고 연월일: 2024년 05월 02일

과학기술정보통신부

「기초연구진흥 및 기술개발지원에 관한 법률」 제14조의
2제1항 및 같은 법 시행령 제27조제1항에 따라 위와 같이
기업의 연구개발전담부서로 인정합니다.

2024년 5월 13일

한국산업기술진흥협회장

G-CERTI *Certificate*

hereby certifies that

Hangul 2119 Research Institute Co., Ltd.

Rm. 2, Lower level, Sangga-dong, 33, Majang-ro 264beon-gil, Bupyeong-gu, Incheon, Korea

meets the Standard Requirements & Scope as following

ISO 9001:2015
Quality Management Systems

**Creation of Media Content, Publication
of Korean Paper and Electronic Textbooks, Production
and Release of Albums for Korean Language Education**

Certificate No: GIS-6934-QC   Code   : 08, 39
Initial Date   : 2024-05-21   Issue Date   : 2024-05-21
Expiry Date   : 2027-05-20   Valid Period : 2024-05-21 ~ 2027-05-20

*Signed for and on behalf of GCERTI
President I.K.Cho*

Certificate of Registration Certificate of Registration

G-CERTI *Certificate*

hereby certifies that

Hangul 2119 Research Institute Co., Ltd.

Rm. 2, Lower level, Sangga-dong, 33, Majang-ro 264beon-gil, Bupyeong-gu, Incheon, Korea

meets the Standard Requirements & Scope as following

ISO 14001:2015
Environmental Management Systems

Creation of Media Content, Publication of Korean Paper and Electronic Textbooks, Production and Release of Albums for Korean Language Education

Certificate No: GIS-6934-EC   Code   : 08, 39
Initial Date   : 2024-05-21   Issue Date   : 2024-05-21
Expiry Date   : 2027-05-20   Valid Period : 2024-05-21 ~ 2027-05-20

Signed for and on behalf of GCERTI
President I.K.Cho

< 목차(daftar) >

한국어(bahasa Korea)

동사(verba) 290

(1) 들리다 [deullida]
terdengar, dikenali

suara dikenal melalui telinga

masa lampau : 들리 + 었어요 → **들렸어요**
kini : 들리 + 어요 → **들려요**
masa depan : 들리 + ㄹ 거예요 → **들릴 거예요**

(2) 메다 [meda]
memikul, menggantungkan

menaikkan benda ke pundak dsb

masa lampau : 메 + 었어요 → **멨어요**
kini : 메 + 어요 → **메요**
masa depan : 메 + ㄹ 거예요 → **멜 거예요**

(3) 보이다 [boida]
kelihatan

menjadi bisa diketahui keberadaan atau bentuk suatu objek dengan mata

masa lampau : 보이 + 었어요 → **보였어요**
kini : 보이 + 어요 → **보여요**
masa depan : 보이 + ㄹ 거예요 → **보일 거예요**

(4) 귀여워하다 [gwiyeowohada]
memanjakan, menyayangi, memuja, menyenangi

menyayangi anak kecil atau binatang lebih dari diri sendiri dan memperlakukannya dengan penuh cinta

masa lampau : 귀여워하 + 였어요 → **귀여워했어요**
kini : 귀여워하 + 여요 → **귀여워해요**
masa depan : 귀여워하 + ㄹ 거예요 → **귀여워할 거예요**

(5) 기뻐하다 [gippeohada]

senang atas, senang akan

menganggap senang dan bersenang hati

masa lampau : 기뻐하 + 였어요 → 기뻐했어요
kini : 기뻐하 + 여요 → 기뻐해요
masa depan : 기뻐하 + ㄹ 거예요 → 기뻐할 거예요

(6) 놀라다 [nollada]

terkejut, kaget, terperanjat

sejenak tegang atau jantung berdegup karena takut atau menghadapi hal yang di luar dugaan

masa lampau : 놀라 + 았어요 → 놀랐어요
kini : 놀라 + 아요 → 놀라요
masa depan : 놀라 + ㄹ 거예요 → 놀랄 거예요

(7) 느끼다 [neukkida]

merasakan, mencium, membaui

mengenal atau mengetahui sebuah rangsangan melalui indera perasa seperti hidung atau kulit dsb

masa lampau : 느끼 + 었어요 → 느꼈어요
kini : 느끼 + 어요 → 느껴요
masa depan : 느끼 + ㄹ 거예요 → 느낄 거예요

(8) 슬퍼하다 [seulpeohada]

bersedih, berduka

merasa sakit hati dan tersiksa sampai mengeluarkan air mata

masa lampau : 슬퍼하 + 였어요 → 슬퍼했어요
kini : 슬퍼하 + 여요 → 슬퍼해요
masa depan : 슬퍼하 + ㄹ 거예요 → 슬퍼할 거예요

(9) 싫어하다 [sireohada]
tidak suka, benci, muak
tidak menyukai sesuatu atau tidak menginginkannya

masa lampau : 싫어하 + 였어요 → 싫어했어요
kini : 싫어하 + 여요 → 싫어해요
masa depan : 싫어하 + ㄹ 거예요 → 싫어할 거예요

(10) 안되다 [andoeda]
gagal, tidak berhasil tidak terwujud, tidak terjadi, tidak berjalan
pekerjaan atau fenomena dsb tidak terwujud dengan baik

masa lampau : 안되 + 었어요 → 안됐어요
kini : 안되 + 어요 → 안돼요
masa depan : 안되 + ㄹ 거예요 → 안될 거예요

(11) 좋아하다 [joahada]
suka, menyukai
memiliki perasaan baik terhadap sesuatu

masa lampau : 좋아하 + 였어요 → 좋아했어요
kini : 좋아하 + 여요 → 좋아해요
masa depan : 좋아하 + ㄹ 거예요 → 좋아할 거예요

(12) 즐거워하다 [jeulgeowohada]
gembira
merasa gembira

masa lampau : 즐거워하 + 였어요 → 즐거워했어요
kini : 즐거워하 + 여요 → 즐거워해요
masa depan : 즐거워하 + ㄹ 거예요 → 즐거워할 거예요

(13) 화나다 [hwanada]

marah, berang, gusar

rasa hati menjadi tidak enak karena merasa sangat tidak senang atau tidak puas

masa lampau : 화나 + 았어요 → 화났어요
kini : 화나 + 아요 → 화나요
masa depan : 화나 + ㄹ 거예요 → 화날 거예요

(14) 화내다 [hwanaeda]

marah, memarahi, melampiaskan kemarahan,
melampiaskan amarah

menunjukkan perasaan marah atau tersinggung karena hati sangat kesal

masa lampau : 화내 + 었어요 → 화냈어요
kini : 화내 + 어요 → 화내요
masa depan : 화내 + ㄹ 거예요 → 화낼 거예요

(15) 자랑하다 [jaranghada]

membanggakan, berbangga diri

menampakkan dan memperlihatkan sesuatu yang terkait dengan diri sendiri atau diri yang hebat atau yang patut mendapat pujian

masa lampau : 자랑하 + 였어요 → 자랑했어요
kini : 자랑하 + 여요 → 자랑해요
masa depan : 자랑하 + ㄹ 거예요 → 자랑할 거예요

(16) 조심하다 [josimhada]

berhati-hati

memberikan perhatian pada perkataan atau tindakan dsb agar tidak mengalami hal buruk

masa lampau : 조심하 + 였어요 → 조심했어요
kini : 조심하 + 여요 → 조심해요
masa depan : 조심하 + ㄹ 거예요 → 조심할 거예요

(17) 늙다 [neukda]

tua

berusia lanjut

masa lampau : 늙 + 었어요 → 늙었어요
kini : 늙 + 어요 → 늙어요
masa depan : 늙 + 을 거예요 → 늙을 거예요

(18) 못생기다 [motsaenggida]

jelek, tidak cantik, tidak tampan, buruk rupa

penampilan tidak indah

masa lampau : 못생기 + 었어요 → 못생겼어요
kini : 못생기 + 어요 → 못생겨요
masa depan : 못생기 + ㄹ 거예요 → 못생길 거예요

(19) 빼다 [ppaeda]

mencabut, mengeluarkan, mencungkil

membuat sesuatu yang terdapat di dalam atau tertancap keluar

masa lampau : 빼 + 었어요 → 뺐어요
kini : 빼 + 어요 → 빼요
masa depan : 빼 + ㄹ 거예요 → 뺄 거예요

(20) 잘생기다 [jalsaenggida]

tampan, indah, bagus

penampilan wajah orang luar biasa

masa lampau : 잘생기 + 었어요 → 잘생겼어요
kini : 잘생기 + 어요 → 잘생겨요
masa depan : 잘생기 + ㄹ 거예요 → 잘생길 거예요

(21) 찌다 [jjida]

bertambah lemak, menjadi gemuk

lemak menempel di badan sehingga menjadi gemuk

masa lampau : 찌 + 었어요 → 쪘어요

kini : 찌 + 어요 → 쪄요

masa depan : 찌 + ㄹ 거예요 → 찔 거예요

(22) 못하다 [motada]

tidak bisa, tidak dapat, tidak mampu

membuat tidak dapat mencapai taraf tertentu untuk melakukan sesuatu atau tidak memiliki kemampuan untuk melakukan hal tersebut

masa lampau : 못하 + 였어요 → 못했어요

kini : 못하 + 여요 → 못해요

masa depan : 못하 + ㄹ 거예요 → 못할 거예요

(23) 잘못하다 [jalmotada]

bersalah, berbuat salah, membuat kesalahan

berbuat salah atau tidak benar

masa lampau : 잘못하 + 였어요 → 잘못했어요

kini : 잘못하 + 여요 → 잘못해요

masa depan : 잘못하 + ㄹ 거예요 → 잘못할 거예요

(24) 잘하다 [jalhada]

cakap, terampil, pandai, tangkas, ahli, mahir

melakukan dengan terbiasa dan terampil

masa lampau : 잘하 + 였어요 → 잘했어요

kini : 잘하 + 여요 → 잘해요

masa depan : 잘하 + ㄹ 거예요 → 잘할 거예요

(25) 가다 [gada]

pergi

bergerak dari satu tempat ke tempat lain

masa lampau : 가 + 았어요 → 갔어요
kini : 가 + 아요 → 가요
masa depan : 가 + ㄹ 거예요 → 갈 거예요

(26) 가리키다 [garikida]

menunjuk, menunjukkan, bermaksud

memberitahukan kepada orang lain mengenai keberadaan suatu objek, arah dengan menggunakan tangan atau benda

masa lampau : 가리키 + 었어요 → 가리켰어요
kini : 가리키 + 어요 → 가리켜요
masa depan : 가리키 + ㄹ 거예요 → 가리킬 거예요

(27) 감다 [gamda]

mencuci, membasuh

membersihkan tubuh dengan mencelupkannya ke air

masa lampau : 감 + 았어요 → 감았어요
kini : 감 + 아요 → 감아요
masa depan : 감 + 을 거예요 → 감을 거예요

(28) 걷다 [geotda]

berjalan

menggerakkan kaki dari lantai secara bergantian dan bergerak atau berpindah terus menerus

masa lampau : 걷 + 었어요 → 걸었어요
kini : 걷 + 어요 → 걸어요
masa depan : 걷 + 을 거예요 → 걸을 거예요

(29) 걸어가다 [georeogada]

berjalan, berjalan kaki

berjalan menggunakan kaki menuju suatu tempat

masa lampau : 걸어가 + 았어요 → 걸어갔어요
kini : 걸어가 + 아요 → 걸어가요
masa depan : 걸어가 + ㄹ 거예요 → 걸어갈 거예요

(30) 걸어오다 [georeooda]

berjalan, jalan

mengarah ke tempat tujuan dan bergerak kemudian datang menggunakan kaki

masa lampau : 걸어오 + 았어요 → 걸어왔어요
kini : 걸어오 + 아요 → 걸어와요
masa depan : 걸어오 + ㄹ 거예요 → 걸어올 거예요

(31) 꺼내다 [kkeonaeda]

mengeluarkan, menarik, mengambil

membuat keluar benda yang ada di dalam

masa lampau : 꺼내 + 었어요 → 꺼냈어요
kini : 꺼내 + 어요 → 꺼내요
masa depan : 꺼내 + ㄹ 거예요 → 꺼낼 거예요

(32) 나오다 [naoda]

keluar

datang dari dalam keluar

masa lampau : 나오 + 았어요 → 나왔어요
kini : 나오 + 아요 → 나와요
masa depan : 나오 + ㄹ 거예요 → 나올 거예요

(33) 내려가다 [naeryeogada]

turun

pergi dari atas ke bawah

masa lampau : 내려가 + 았어요 → 내려갔어요
kini : 내려가 + 아요 → 내려가요
masa depan : 내려가 + ㄹ 거예요 → 내려갈 거예요

(34) 내려오다 [naeryeooda]

turun

datang dari tempat yang tinggi ke tempat yang rendah atau dari atas ke bawah

masa lampau : 내려오 + 았어요 → 내려왔어요
kini : 내려오 + 아요 → 내려와요
masa depan : 내려오 + ㄹ 거예요 → 내려올 거예요

(35) 넘어지다 [neomeojida]

jatuh, runtuh, roboh

orang atau benda yang sedang berdiri kehilangan keseimbangan sehingga miring atau jatuh ke satu arah

masa lampau : 넘어지 + 었어요 → 넘어졌어요
kini : 넘어지 + 어요 → 넘어져요
masa depan : 넘어지 + ㄹ 거예요 → 넘어질 거예요

(36) 넣다 [neota]

memasukkan

membuat masuk ke dalam sebuah tempat

masa lampau : 넣 + 었어요 → 넣었어요
kini : 넣 + 어요 → 넣어요
masa depan : 넣 + 을 거예요 → 넣을 거예요

(37) 놓다 [nota]

melepas, menaruh

membuat suatu benda yang dipegang terlepas dari tangan karena membuka atau mengendurkan kekuatan tangan yang berada dalam keadaan memegang atau menekan

masa lampau : 놓 + 았어요 → 놓았어요

kini : 놓 + 아요 → 놓아요

masa depan : 놓 + 을 거예요 → 놓을 거예요

(38) 누르다 [nureuda]

menekan

memberi tekanan berat dari atas ke arah bawah pada semua atau sebagian objek

masa lampau : 누르 + 었어요 → 눌렀어요

kini : 누르 + 어요 → 눌러요

masa depan : 누르 + ㄹ 거예요 → 누를 거예요

(39) 달리다 [dallida]

berlari

pergi atau datang cepat dengan berlari

masa lampau : 달리 + 었어요 → 달렸어요

kini : 달리 + 어요 → 달려요

masa depan : 달리 + ㄹ 거예요 → 달릴 거예요

(40) 던지다 [deonjida]

melempar

menggerakkan benda yang dibawa tangan kemudian melepaskannya ke udara

masa lampau : 던지 + 었어요 → 던졌어요

kini : 던지 + 어요 → 던져요

masa depan : 던지 + ㄹ 거예요 → 던질 거예요

(41) 돌리다 [dollida]

memutari

menggerakkan sesuatu dengan membuat lingkaran

masa lampau : 돌리 + 었어요 → **돌렸어요**
kini : 돌리 + 어요 → **돌려요**
masa depan : 돌리 + ㄹ 거예요 → **돌릴 거예요**

(42) 듣다 [deutda]

mendengar

mengetahui suara atau bunyi dengan telinga

masa lampau : 듣 + 었어요 → **들었어요**
kini : 듣 + 어요 → **들어요**
masa depan : 듣 + 을 거예요 → **들을 거예요**

(43) 들어가다 [deureogada]

masuk

pergi mengarah ke dalam dari luar

masa lampau : 들어가 + 았어요 → **들어갔어요**
kini : 들어가 + 아요 → **들어가요**
masa depan : 들어가 + ㄹ 거예요 → **들어갈 거예요**

(44) 들어오다 [deureooda]

masuk

bergerak ke dalam dari luar suatu lingkup

masa lampau : 들어오 + 았어요 → **들어왔어요**
kini : 들어오 + 아요 → **들어와요**
masa depan : 들어오 + ㄹ 거예요 → **들어올 거예요**

(45) 뛰다 [ttwida]

berlari, melompat

menggerakkan kaki dengan sangat cepat kemudian keluar dengan cepat

masa lampau : 뛰 + 었어요 → 뛰었어요
kini : 뛰 + 어요 → 뛰어요
masa depan : 뛰 + ㄹ 거예요 → 뛸 거예요

(46) 뛰어가다 [ttwieogada]

berlari, lari

pergi berlari dengan cepat ke suatu tempat

masa lampau : 뛰어가 + 았어요 → 뛰어갔어요
kini : 뛰어가 + 아요 → 뛰어가요
masa depan : 뛰어가 + ㄹ 거예요 → 뛰어갈 거예요

(47) 뜨다 [tteuda]

membuka

membuka mata

masa lampau : 뜨 + 었어요 → 떴어요
kini : 뜨 + 어요 → 떠요
masa depan : 뜨 + ㄹ 거예요 → 뜰 거예요

(48) 만지다 [manjida]

menyentuh

menempelkan tangan ke suatu tempat kemudian menggerakkannya

masa lampau : 만지 + 었어요 → 만졌어요
kini : 만지 + 어요 → 만져요
masa depan : 만지 + ㄹ 거예요 → 만질 거예요

(49) 미끄러지다 [mikkeureojida]

tergelincir

meluncur ke luar atau jatuh dari tempat yang licin

masa lampau : 미끄러지 + 었어요 → 미끄러졌어요
kini : 미끄러지 + 어요 → 미끄러져요
masa depan : 미끄러지 + ㄹ 거예요 → 미끄러질 거예요

(50) 밀다 [milda]

mendorong

memberikan tenaga dari arah lawan dari arah yang diinginkan untuk menggerakkan sesuatu

masa lampau : 밀 + 었어요 → 밀었어요
kini : 밀 + 어요 → 밀어요
masa depan : 밀 + ㄹ 거예요 → 밀 거예요

(51) 바라보다 [baraboda]

menatap, memandang, menghadap

menghadap dan melihat tepat

masa lampau : 바라보 + 았어요 → 바라봤어요
kini : 바라보 + 아요 → 바라봐요
masa depan : 바라보 + ㄹ 거예요 → 바라볼 거예요

(52) 보다 [boda]

melihat

mengetahui keberadaan atau penampilan sesuatu dengan mata

masa lampau : 보 + 았어요 → 봤어요
kini : 보 + 아요 → 봐요
masa depan : 보 + ㄹ 거예요 → 볼 거예요

(53) 서다 [seoda]

berdiri

orang atau binatang menyentuhkan kaki ke lantai dan menegakkan badan

masa lampau : 서 + 었어요 → 섰어요
kini : 서 + 어요 → 서요
masa depan : 서 + ㄹ 거예요 → 설 거예요

(54) 쉬다 [swida]

istirahat, beristirahat

membuat tubuh menjadi nyaman untuk menglepaskan lelah

masa lampau : 쉬 + 었어요 → 쉬었어요
kini : 쉬 + 어요 → 쉬어요
masa depan : 쉬 + ㄹ 거예요 → 쉴 거예요

(55) 안다 [anda]

memeluk

melebarkan kedua lengan dan menarik ke arah dada atau membuat berada dalam pelukan

masa lampau : 안 + 았어요 → 안았어요
kini : 안 + 아요 → 안아요
masa depan : 안 + 을 거예요 → 안을 거예요

(56) 앉다 [anda]

duduk

meletakkan tubuh di atas benda lain atau di lantai dari posisi tubuh bagian atas tegak lurus lalu memusatkan berat tubuh pada bokong

masa lampau : 앉 + 았어요 → 앉았어요
kini : 앉 + 아요 → 앉아요
masa depan : 앉 + 을 거예요 → 앉을 거예요

(57) 오다 [oda]

datang,kemari, ke sini

sesuatu bergerak dari tempat lain ke sini

masa lampau : 오 + 았어요 → 왔어요
kini : 오 + 아요 → 와요
masa depan : 오 + ㄹ 거예요 → 올 거예요

(58) 올라가다 [ollagada]

naik

pergi dari bawah ke atas, dari tempat rendah ke tempat tinggi

masa lampau : 올라가 + 았어요 → 올라갔어요
kini : 올라가 + 아요 → 올라가요
masa depan : 올라가 + ㄹ 거예요 → 올라갈 거예요

(59) 올라오다 [ollaoda]

naik

naik dari tempat yang rendah ke tempat yang tinggi

masa lampau : 올라오 + 았어요 → 올라왔어요
kini : 올라오 + 아요 → 올라와요
masa depan : 올라오 + ㄹ 거예요 → 올라올 거예요

(60) 울다 [ulda]

menangis

meneteskan air mata karena sedih atau sakit atau terlampau senang. Atau bersuara sambil meneteskan air mata seperti itu.

masa lampau : 울 + 었어요 → 울었어요
kini : 울 + 어요 → 울어요
masa depan : 울 + ㄹ 거예요 → 울 거예요

(61) 움직이다 [umjigida]

berpindah, bergerak

berubahnya tempat atau sikap, atau mengubah tempat atau sikap

masa lampau : 움직이 + 었어요 → 움직였어요
kini : 움직이 + 어요 → 움직여요
masa depan : 움직이 + ㄹ 거예요 → 움직일 거예요

(62) 웃다 [utda]

tertawa, tersenyum

mengembangkan wajah dengan ceria atau bersuara ketika senang, puas atau merasa lucu

masa lampau : 웃 + 었어요 → 웃었어요
kini : 웃 + 어요 → 웃어요
masa depan : 웃 + 을 거예요 → 웃을 거예요

(63) 일어나다 [ireonada]

bangun, berdiri

duduk setelah berbaring atau berdiri

masa lampau : 일어나 + 았어요 → 일어났어요
kini : 일어나 + 아요 → 일어나요
masa depan : 일어나 + ㄹ 거예요 → 일어날 거예요

(64) 일어서다 [ireoseoda]

bangun, bangkit, berdiri

berdiri dari posisi duduk, bangun dari posisi duduk

masa lampau : 일어서 + 었어요 → 일어섰어요
kini : 일어서 + 어요 → 일어서요
masa depan : 일어서 + ㄹ 거예요 → 일어설 거예요

(65) 잡다 [japda]

memegang, menggenggam

menggenggam dengan tangan dan tidak melepaskan

masa lampau : 잡 + 았어요 → 잡았어요
kini : 잡 + 아요 → 잡아요
masa depan : 잡 + 을 거예요 → 잡을 거예요

(66) 접다 [jeopda]

melipat

melekukkan lalu melipat kain atau kertas dsb

masa lampau : 접 + 었어요 → 접었어요
kini : 접 + 어요 → 접어요
masa depan : 접 + 을 거예요 → 접을 거예요

(67) 지나가다 [jinagada]

lewat, melewati

pergi melalui suatu tempat

masa lampau : 지나가 + 았어요 → 지나갔어요
kini : 지나가 + 아요 → 지나가요
masa depan : 지나가 + ㄹ 거예요 → 지나갈 거예요

(68) 지르다 [jireuda]

meneriakkan, berteriak

mengeluarkan suara dengan keras

masa lampau : 지르 + 었어요 → 질렀어요
kini : 지르 + 어요 → 질러요
masa depan : 지르 + ㄹ 거예요 → 지를 거예요

(69) 차다 [chada]

menendang, melempar, memukul

mengangkangkan kaki kemudian menendang atau menerima dan menaikkan sesuatu dengan kuat

masa lampau : 차 + 았어요 → 찼어요
kini : 차 + 아요 → 차요
masa depan : 차 + ㄹ 거예요 → 찰 거예요

(70) 쳐다보다 [cheodaboda]

melihat, memandang

melihat dari bawah ke atas

masa lampau : 쳐다보 + 았어요 → 쳐다봤어요
kini : 쳐다보 + 아요 → 쳐다봐요
masa depan : 쳐다보 + ㄹ 거예요 → 쳐다볼 거예요

(71) 치다 [chida]

menampar, menggebrak, meninju, memukul

membenturkan tangan dengan benda lain secara keras

masa lampau : 치 + 었어요 → 쳤어요
kini : 치 + 어요 → 쳐요
masa depan : 치 + ㄹ 거예요 → 칠 거예요

(72) 흔들다 [heundeulda]

menggoyang

membuat sesuatu sering kali bergerak ke kanan ke kiri, ke depan ke belakang

masa lampau : 흔들 + 었어요 → 흔들었어요
kini : 흔들 + 어요 → 흔들어요
masa depan : 흔들 + ㄹ 거예요 → 흔들 거예요

(73) 기억나다 [gieongnada]

ingat, teringat

tampilan, fakta, pengetahuan, pengalaman sebelumnya muncul kembali dalam hati atau pikiran

masa lampau : 기억나 + 았어요 → 기억났어요
kini : 기억나 + 아요 → 기억나요
masa depan : 기억나 + ㄹ 거예요 → 기억날 거예요

(74) 모르다 [moreuda]

tidak tahu

tidak bisa mengetahui atau mengerti orang atau benda, fakta, dsb

masa lampau : 모르 + 았어요 → 몰랐어요
kini : 모르 + 아요 → 몰라요
masa depan : 모르 + ㄹ 거예요 → 모를 거예요

(75) 믿다 [mitda]

percaya, mempercayai

berpikir bahwa sesuatu benar atau nyata

masa lampau : 믿 + 었어요 → 믿었어요
kini : 믿 + 어요 → 믿어요
masa depan : 믿 + 을 거예요 → 믿을 거예요

(76) 바라다 [barada]

berharap, mengharapkan

berharap sesuatu terwujud sesuai dengan pikiran atau harapan

masa lampau : 바라 + 았어요 → 바랐어요
kini : 바라 + 아요 → 바라요
masa depan : 바라 + ㄹ 거예요 → 바랄 거예요

(77) 보이다 [boida]

kelihatan

menjadi bisa diketahui keberadaan atau bentuk suatu objek dengan mata

masa lampau : 보이 + 었어요 → 보였어요
kini : 보이 + 어요 → 보여요
masa depan : 보이 + ㄹ 거예요 → 보일 거예요

(78) 생각나다 [saenggangnada]

muncul, terpikirkan

pikiran baru muncul di dalam kepala

masa lampau : 생각나 + 았어요 → 생각났어요
kini : 생각나 + 아요 → 생각나요
masa depan : 생각나 + ㄹ 거예요 → 생각날 거예요

(79) 알다 [alda]

tahu, mengetahui

memiliki pengetahuan tentang benda atau keadaan melalui pendidikan atau pengalaman, pemikiran, dsb

masa lampau : 알 + 았어요 → 알았어요
kini : 알 + 아요 → 알아요
masa depan : 알 + ㄹ 거예요 → 알 거예요

(80) 알리다 [allida]

memberitahukan, menyampaikan

membuat tahu sesuatu yang tidak diketahui sebelumnya atau yang terlupakan sebelumnya

masa lampau : 알리 + 었어요 → 알렸어요
kini : 알리 + 어요 → 알려요
masa depan : 알리 + ㄹ 거예요 → 알릴 거예요

(81) 외우다 [oeuda]

menghafal, mengingat

tidak lupa perkataan atau tulisan dsb dan mengingatnya

masa lampau : 외우 + 었어요 → **외웠어요**

kini : 외우 + 어요 → **외워요**

masa depan : 외우 + ㄹ 거예요 → **외울 거예요**

(82) 원하다 [wonhada]

menginginkan, mengharapkan

berharap atau ingin melakukan sesuatu

masa lampau : 원하 + 였어요 → **원했어요**

kini : 원하 + 여요 → **원해요**

masa depan : 원하 + ㄹ 거예요 → **원할 거예요**

(83) 잊다 [itda]

lupa, tidak ingat

tidak bisa mengingat sesuatu yang telah diketahui sekali

masa lampau : 잊 + 었어요 → **잊었어요**

kini : 잊 + 어요 → **잊어요**

masa depan : 잊 + 을 거예요 → **잊을 거예요**

(84) 잊어버리다 [ijeobeorida]

lupa, tidak ingat

tidak bisa mengingat semua atau sama sekali sesuatu yang pernah diketahui sekali

masa lampau : 잊어버리 + 었어요 → **잊어버렸어요**

kini : 잊어버리 + 어요 → **잊어버려요**

masa depan : 잊어버리 + ㄹ 거예요 → **잊어버릴 거예요**

(85) 기르다 [gireuda]

menumbuhkan

memberi makanan atau nutrisi dan melindungi hewan atau tumbuhan

masa lampau : 기르 + 었어요 → **길렀어요**
kini : 기르 + 어요 → **길러요**
masa depan : 기르 + ㄹ 거예요 → **기를 거예요**

(86) 살다 [salda]

hidup

menjalani kehidupan

masa lampau : 살 + 았어요 → **살았어요**
kini : 살 + 아요 → **살아요**
masa depan : 살 + ㄹ 거예요 → **살 거예요**

(87) 죽다 [jukda]

mati, meninggal

mahluk hidup kehilangan nyawa

masa lampau : 죽 + 었어요 → **죽었어요**
kini : 죽 + 어요 → **죽어요**
masa depan : 죽 + 을 거예요 → **죽을 거예요**

(88) 지내다 [jinaeda]

melewati waktu

melewatkan hidup dengan suatu taraf atau kondisi tertentu

masa lampau : 지내 + 었어요 → **지냈어요**
kini : 지내 + 어요 → **지내요**
masa depan : 지내 + ㄹ 거예요 → **지낼 거예요**

(89) 태어나다 [taeeonada]

lahir

manusia atau binatang dsb memiliki bentuk dan keluar dari dalam tubuh induknya

masa lampau : 태어나 + 았어요 → 태어났어요
kini : 태어나 + 아요 → 태어나요
masa depan : 태어나 + ㄹ 거예요 → 태어날 거예요

(90) 감다 [gamda]

memejamkan mata

menutup kelopak mata

masa lampau : 감 + 았어요 → 감았어요
kini : 감 + 아요 → 감아요
masa depan : 감 + 을 거예요 → 감을 거예요

(91) 깨다 [kkaeda]

bangun, sadar, membangunkan, menyadarkan

lepas dari kondisi tidur kemudian sadar, atau membuat demikian

masa lampau : 깨 + 었어요 → 깼어요
kini : 깨 + 어요 → 깨요
masa depan : 깨 + ㄹ 거예요 → 깰 거예요

(92) 꾸다 [kkuda]

mimpi

melihat, mendengar, dan merasakan seperti nyata di dalam mimpi selama tidur

masa lampau : 꾸 + 었어요 → 꾸었어요
kini : 꾸 + 어요 → 꾸어요
masa depan : 꾸 + ㄹ 거예요 → 꿀 거예요

(93) 눕다 [nupda]

berbaring

manusia atau binatang menempatkan badannya secara horizontal agar sisi badan atau punggungnya mencapai suatu tempat

masa lampau : 눕 + 었어요 → 누웠어요

kini : 눕 + 어요 → 누워요

masa depan : 눕 + ㄹ 거예요 → 누울 거예요

(94) 다녀오다 [danyeooda]

pergi dan kembali

pergi ke suatu tempat dan kembali

masa lampau : 다녀오 + 았어요 → 다녀왔어요

kini : 다녀오 + 아요 → 다녀와요

masa depan : 다녀오 + ㄹ 거예요 → 다녀올 거예요

(95) 다니다 [danida]

pergi

terus-menerus masuk keluar ke suatu tempat

masa lampau : 다니 + 었어요 → 다녔어요

kini : 다니 + 어요 → 다녀요

masa depan : 다니 + ㄹ 거예요 → 다닐 거예요

(96) 닦다 [dakda]

menggosok, mengelap

menggosok untuk menghilangkan sesuatu yang kotor

masa lampau : 닦 + 았어요 → 닦았어요

kini : 닦 + 아요 → 닦아요

masa depan : 닦 + 을 거예요 → 닦을 거예요

(97) 씻다 [ssitda]

mencuci

menghilangkan daki atau kotoran yang menempel pada sesuatu kemudian membersihkannya

masa lampau : 씻 + 었어요 → 씻었어요
kini : 씻 + 어요 → 씻어요
masa depan : 씻 + 을 거예요 → 씻을 거예요

(98) 일어나다 [ireonada]

bangun tidur, bangun, terjaga

bangun dari tidur

masa lampau : 일어나 + 았어요 → 일어났어요
kini : 일어나 + 아요 → 일어나요
masa depan : 일어나 + ㄹ 거예요 → 일어날 거예요

(99) 자다 [jada]

tidur

menutup mata, menghentikan kegiatan fisik serta mental, dan berada dalam keadaan beristirahat untuk beberapa waktu

masa lampau : 자 + 았어요 → 잤어요
kini : 자 + 아요 → 자요
masa depan : 자 + ㄹ 거예요 → 잘 거예요

(100) 잠자다 [jamjada]

tidur

fisik dan mental berhenti beraktivitas, dan beristirahat untuk sementara

masa lampau : 잠자 + 았어요 → 잠잤어요
kini : 잠자 + 아요 → 잠자요
masa depan : 잠자 + ㄹ 거예요 → 잠잘 거예요

(101) 주무시다 [jumusida]

tidur

(dalam sebutan hormat) tidur

masa lampau : 주무시 + 었어요 → 주무셨어요
kini : 주무시 + 어요 → 주무셔요
masa depan : 주무시 + ㄹ 거예요 → 주무실 거예요

(102) 구경하다 [gugyeonghada]

melihat-lihat, menyaksikan, memandang

melihat karena memiliki kesukaan atau ketertarikan pada sesuatu

masa lampau : 구경하 + 였어요 → 구경했어요
kini : 구경하 + 여요 → 구경해요
masa depan : 구경하 + ㄹ 거예요 → 구경할 거예요

(103) 그리다 [geurida]

menggambar, melukis

merealisasikan benda dengan garis-garis atau warna-warna menggunakan pensil atau kuas, dsb

masa lampau : 그리 + 었어요 → 그렸어요
kini : 그리 + 어요 → 그려요
masa depan : 그리 + ㄹ 거예요 → 그릴 거예요

(104) 노래하다 [noraehada]

bernyanyi, menyanyi

mengeluarkan suara dan menyanyikan lagu yang berlirik yang dibuat mengikuti irama

masa lampau : 노래하 + 였어요 → 노래했어요
kini : 노래하 + 여요 → 노래해요
masa depan : 노래하 + ㄹ 거예요 → 노래할 거예요

(105) 놀다 [nolda]

bermain

melewatkan waktu dengan asyik dan gembira sambil melakukan permainan dsb

masa lampau : 놀 + 았어요 → 놀았어요
kini : 놀 + 아요 → 놀아요
masa depan : 놀 + ㄹ 거예요 → 놀 거예요

(106) 독서하다 [dokseohada]

membaca

membaca buku

masa lampau : 독서하 + 였어요 → 독서했어요
kini : 독서하 + 여요 → 독서해요
masa depan : 독서하 + ㄹ 거예요 → 독서할 거예요

(107) 등산하다 [deungsanhada]

naik gunung, mendaki gunung

mendaki gunung untuk olahraga atau bermain dsb

masa lampau : 등산하 + 였어요 → 등산했어요
kini : 등산하 + 여요 → 등산해요
masa depan : 등산하 + ㄹ 거예요 → 등산할 거예요

(108) 부르다 [bureuda]

menyanyi, menyanyikan

bernyanyi mengikuti melodi

masa lampau : 부르 + 었어요 → 불렀어요
kini : 부르 + 어요 → 불러요
masa depan : 부르 + ㄹ 거예요 → 부를 거예요

(109) 불다 [bulda]

meniup, memainkan

menyentuhkan alat musik tiup ke bibir dan menghembuskan napas untuk membunyikannya

masa lampau : 불 + 었어요 → 불었어요
kini : 불 + 어요 → 불어요
masa depan : 불 + ㄹ 거예요 → 불 거예요

(110) 산책하다 [sanchaekada]

berjalan-jalan

berjalan pelan-pelan di daerah sekitar tempat tinggal untuk sekedar beristirahat atau untuk kesehatan

masa lampau : 산책하 + 였어요 → 산책했어요
kini : 산책하 + 여요 → 산책해요
masa depan : 산책하 + ㄹ 거예요 → 산책할 거예요

(111) 수영하다 [suyeonghada]

berenang

berenang di dalam air

masa lampau : 수영하 + 였어요 → 수영했어요
kini : 수영하 + 여요 → 수영해요
masa depan : 수영하 + ㄹ 거예요 → 수영할 거예요

(112) 여행하다 [yeohaenghada]

berwisata, mengadakan perjalanan

meninggalkan rumah kemudian berkeliling dan melihat-lihat ke daerah lain, atau luar negeri

masa lampau : 여행하 + 였어요 → 여행했어요
kini : 여행하 + 여요 → 여행해요
masa depan : 여행하 + ㄹ 거예요 → 여행할 거예요

(113) 운동하다 [undonghada]

berolahraga

melatih tubuh atau menggerakkan tubuh supaya sehat

masa lampau : 운동하 + 였어요 → 운동했어요
kini : 운동하 + 여요 → 운동해요
masa depan : 운동하 + ㄹ 거예요 → 운동할 거예요

(114) 즐기다 [jeulgida]

menikmati

menikmati dengan senang dan sesuka hati

masa lampau : 즐기 + 었어요 → 즐겼어요
kini : 즐기 + 어요 → 즐겨요
masa depan : 즐기 + ㄹ 거예요 → 즐길 거예요

(115) 찍다 [jjikda]

memotret

mencerminkan suatu objek dengan kamera kemudian memindahkan bentuknya ke film

masa lampau : 찍 + 었어요 → 찍었어요
kini : 찍 + 어요 → 찍어요
masa depan : 찍 + 을 거예요 → 찍을 거예요

(116) 추다 [chuda]

menari

melakukan gerakan tarian

masa lampau : 추 + 었어요 → 췄어요
kini : 추 + 어요 → 춰요
masa depan : 추 + ㄹ 거예요 → 출 거예요

(117) 춤추다 [chumchuda]

menari

menggerakkan tubuh mengikuti musik atau irama yang teratur

masa lampau : 춤추 + 었어요 → 춤췄어요
kini : 춤추 + 어요 → 춤춰요
masa depan : 춤추 + ㄹ 거예요 → 춤출 거예요

(118) 켜다 [kyeoda]

menggesek, memainkan

menekan senar alat musik gesek dengan busur lalu membuatnya berbunyi

masa lampau : 켜 + 었어요 → 켰어요
kini : 켜 + 어요 → 켜요
masa depan : 켜 + ㄹ 거예요 → 켤 거예요

(119) 타다 [tada]

naik

menempatkan badan di alat permainan seperti ayunan atau jungkat-jungkit kemudian menggerakkannya

masa lampau : 타 + 았어요 → 탔어요
kini : 타 + 아요 → 타요
masa depan : 타 + ㄹ 거예요 → 탈 거예요

(120) 검사하다 [geomsahada]

memeriksa, menguji, mengetes

meneliti, menelusuri, dan mencari tahu dengan seksama

masa lampau : 검사하 + 였어요 → 검사했어요
kini : 검사하 + 여요 → 검사해요
masa depan : 검사하 + ㄹ 거예요 → 검사할 거예요

(121) 고치다 [gochida]

mengobati, menyembuhkan

menghilangkan penyakit,mengobati bagian yang sakit

masa lampau : 고치 + 었어요 → **고쳤어요**
kini : 고치 + 어요 → **고쳐요**
masa depan : 고치 + ㄹ 거예요 → **고칠 거예요**

(122) 바르다 [bareuda]

membalurkan, mengoleskan

menempelkan cairan atau bubuk dsb dengan rata ke permukaan benda

masa lampau : 바르 + 았어요 → **발랐어요**
kini : 바르 + 아요 → **발라요**
masa depan : 바르 + ㄹ 거예요 → **바를 거예요**

(123) 수술하다 [susulhada]

operasi

menyayat dan memotong atau menempelkan dan menjahit salah satu bagian tubuh untuk mengobati penyakit

masa lampau : 수술하 + 였어요 → **수술했어요**
kini : 수술하 + 여요 → **수술해요**
masa depan : 수술하 + ㄹ 거예요 → **수술할 거예요**

(124) 입원하다 [ibwonhada]

masuk rumah sakit

masuk ke rumah sakit dan melewatkan hari selama waktu yang ditentukan untuk menyembuhkan penyakit

masa lampau : 입원하 + 였어요 → **입원했어요**
kini : 입원하 + 여요 → **입원해요**
masa depan : 입원하 + ㄹ 거예요 → **입원할 거예요**

(125) 퇴원하다 [toewonhada]

keluar, pulang

pasien yang tinggal dan mendapat perawatan di rumah sakit selama jangka waktu tertentu keluar dari rumah sakit

masa lampau : 퇴원하 + 였어요 → **퇴원했어요**
kini : 퇴원하 + 여요 → **퇴원해요**
masa depan : 퇴원하 + ㄹ 거예요 → **퇴원할 거예요**

(126) 먹다 [meokda]

makan

memasukkan makanan ke dalam mulut lalu menelannya

masa lampau : 먹 + 었어요 → **먹었어요**
kini : 먹 + 어요 → **먹어요**
masa depan : 먹 + 을 거예요 → **먹을 거예요**

(127) 마시다 [masida]

minum

mengalirkan cairan seperti air dsb ke tenggorokan

masa lampau : 마시 + 었어요 → **마셨어요**
kini : 마시 + 어요 → **마셔요**
masa depan : 마시 + ㄹ 거예요 → **마실 거예요**

(128) 굽다 [gupda]

membakar, memanggang

mematangkan makanan di api

masa lampau : 굽 + 었어요 → **구웠어요**
kini : 굽 + 어요 → **구워요**
masa depan : 굽 + ㄹ 거예요 → **구울 거예요**

(129) 깎다 [kkakda]

mengupas, menguliti

memotong tipis permukaan suatu benda, atau kulit buah menggunakan alat seperti pisau

masa lampau : 깎 + 았어요 → 깎았어요
kini : 깎 + 아요 → 깎아요
masa depan : 깎 + 을 거예요 → 깎을 거예요

(130) 끓다 [kkeulta]

mendidih

cairan menjadi sangat panas hingga berbuih

masa lampau : 끓 + 었어요 → 끓었어요
kini : 끓 + 어요 → 끓어요
masa depan : 끓 + 을 거예요 → 끓을 거예요

(131) 끓이다 [kkeurida]

merebus

memasukkan makanan ke dalam air dan memanaskannya

masa lampau : 끓이 + 었어요 → 끓였어요
kini : 끓이 + 어요 → 끓여요
masa depan : 끓이 + ㄹ 거예요 → 끓일 거예요

(132) 볶다 [bokda]

menumis, menggoreng, menyangrai

meletakkan makanan yang hampir tidak ada airnya di atas api kemudian mengaduknya ke sana sini dan mematangkannya

masa lampau : 볶 + 았어요 → 볶았어요
kini : 볶 + 아요 → 볶아요
masa depan : 볶 + 을 거예요 → 볶을 거예요

(133) 섞다 [seokda]

mencampur

menyatukan sesuatu yang lebih dari dua menjadi satu

masa lampau : 섞 + 었어요 → 섞었어요
kini : 섞 + 어요 → 섞어요
masa depan : 섞 + 을 거예요 → 섞을 거예요

(134) 썰다 [sseolda]

mengiris, memotong

memotong sesuatu, atau menjadikan beberapa potongan kecil dan halus dengan menggunakan pisau atau gergaji, ditekan ke bawah, dan digerakkan ke depan ke belakang

masa lampau : 썰 + 었어요 → 썰었어요
kini : 썰 + 어요 → 썰어요
masa depan : 썰 + ㄹ 거예요 → 썰 거예요

(135) 씹다 [ssipda]

mengunyah

orang atau binatang memasukkan makanan ke dalam mulut dan memotongnya kecil-kecil atau menghaluskannya

masa lampau : 씹 + 었어요 → 씹었어요
kini : 씹 + 어요 → 씹어요
masa depan : 씹 + 을 거예요 → 씹을 거예요

(136) 익다 [ikda]

matang

makanan yang mentah mendapat panas sehingga rasa dan zatnya berubah

masa lampau : 익 + 었어요 → 익었어요
kini : 익 + 어요 → 익어요
masa depan : 익 + 을 거예요 → 익을 거예요

(137) 찌다 [jjida]

kukus

mematangkan atau memanaskan makanan dengan uap panas

masa lampau : 찌 + 었어요 → **쪘어요**
kini : 찌 + 어요 → **쪄요**
masa depan : 찌 + ㄹ 거예요 → **찔 거예요**

(138) 타다 [tada]

hangus

matang dengan berlebihan sampai berubah menjadi hitam karena terkena panas

masa lampau : 타 + 았어요 → **탔어요**
kini : 타 + 아요 → **타요**
masa depan : 타 + ㄹ 거예요 → **탈 거예요**

(139) 튀기다 [twigida]

menggoreng

mematangkan makanan dengan memasukkannya ke dalam minyak mendidih/panas

masa lampau : 튀기 + 었어요 → **튀겼어요**
kini : 튀기 + 어요 → **튀겨요**
masa depan : 튀기 + ㄹ 거예요 → **튀길 거예요**

(140) 갈아입다 [garaipda]

mengganti baju, berganti pakaian

melepas pakaian yang dikenakan dan menggantinya dengan pakaian lain

masa lampau : 갈아입 + 었어요 → **갈아입었어요**
kini : 갈아입 + 어요 → **갈아입어요**
masa depan : 갈아입 + 을 거예요 → **갈아입을 거예요**

(141) 끼다 [kkida]

memakai, menyelipkan

menusukkan atau memasukkan sampai menyangkut dan tidak terlepas

masa lampau : 끼 + 었어요 → 꼈어요
kini : 끼 + 어요 → 껴요
masa depan : 끼 + ㄹ 거예요 → 낄 거예요

(142) 매다 [maeda]

mengikat

saling mengaitkan ujung dua tali agar tidak terpisah atau terlepas

masa lampau : 매 + 었어요 → 맸어요
kini : 매 + 어요 → 매요
masa depan : 매 + ㄹ 거예요 → 맬 거예요

(143) 벗다 [beotda]

melepaskan

orang melepaskan benda atau baju dsb yang menyangkut di badan

masa lampau : 벗 + 었어요 → 벗었어요
kini : 벗 + 어요 → 벗어요
masa depan : 벗 + 을 거예요 → 벗을 거예요

(144) 신다 [sinda]

memakai, mengenakan

menutupi seluruh atau sebagian kaki dengan sepatu, kaus kaki, dsb

masa lampau : 신 + 었어요 → 신었어요
kini : 신 + 어요 → 신어요
masa depan : 신 + 을 거예요 → 신을 거예요

(145) 쓰다 [sseuda]

memakai, mengenakan

menaruh topi atau rambut palsu dsb di kepala kemudian menutupinya

masa lampau : 쓰 + 었어요 → 썼어요
kini : 쓰 + 어요 → 써요
masa depan : 쓰 + ㄹ 거예요 → 쓸 거예요

(146) 입다 [ipda]

memakai, mengenakan

memakai pakaian ke badan

masa lampau : 입 + 었어요 → 입었어요
kini : 입 + 어요 → 입어요
masa depan : 입 + 을 거예요 → 입을 거예요

(147) 차다 [chada]

memakai, mengenakan

mengaitkan atau menggantungkan atau melingkarkan benda di pinggang atau pergelangan tangan, pergelangan kaki, dsb

masa lampau : 차 + 았어요 → 찼어요
kini : 차 + 아요 → 차요
masa depan : 차 + ㄹ 거예요 → 찰 거예요

(148) 기르다 [gireuda]

menumbuhkan, memanjangkan

menumbuhkan dengan panjang rambut atau jenggot dsb

masa lampau : 기르 + 었어요 → 길렀어요
kini : 기르 + 어요 → 길러요
masa depan : 기르 + ㄹ 거예요 → 기를 거예요

(149) 깎다 [kkakda]

memangkas

memotong rumput, bulu, dan menipiskannya

masa lampau : 깎 + 았어요 → 깎았어요
kini : 깎 + 아요 → 깎아요
masa depan : 깎 + 을 거예요 → 깎을 거예요

(150) 드라이하다 [deuraihada]

mengeringkan rambut, memblow rambut

mengeringkan atau membentuk rambut menggunakan alat elektronik yang menghasilkan angin

masa lampau : 드라이하 + 였어요 → 드라이했어요
kini : 드라이하 + 여요 → 드라이해요
masa depan : 드라이하 + ㄹ 거예요 → 드라이할 거예요

(151) 면도하다 [myeondohada]

mencukur

memotong bulu halus atau jenggot yang tumbuh di tubuh atau wajah

masa lampau : 면도하 + 였어요 → 면도했어요
kini : 면도하 + 여요 → 면도해요
masa depan : 면도하 + ㄹ 거예요 → 면도할 거예요

(152) 빗다 [bitda]

menyisir

merapikan rambut atau bulu menggunakan sisir atau tangan dsb dengan rata

masa lampau : 빗 + 었어요 → 빗었어요
kini : 빗 + 어요 → 빗어요
masa depan : 빗 + 을 거예요 → 빗을 거예요

(153) 염색하다 [yeomsaekada]

mewarnai

mewarnai kain, benang, rambut, dsb

masa lampau : 염색하 + 였어요 → 염색했어요
kini : 염색하 + 여요 → 염색해요
masa depan : 염색하 + ㄹ 거예요 → 염색할 거예요

(154) 이발하다 [ibalhada]

memangkas, berpangkas

memotong dan merapikan rambut

masa lampau : 이발하 + 였어요 → 이발했어요
kini : 이발하 + 여요 → 이발해요
masa depan : 이발하 + ㄹ 거예요 → 이발할 거예요

(155) 파마하다 [pamahada]

mengeset, melakukan perm, mengeriting rambut

membuat rambut menjadi keriting bergelombang atau lurus dan menjaganya dalam keadaan demikian untuk jangka waktu yang panjang menggunakan mesin atau obat

masa lampau : 파마하 + 였어요 → 파마했어요
kini : 파마하 + 여요 → 파마해요
masa depan : 파마하 + ㄹ 거예요 → 파마할 거예요

(156) 화장하다 [hwajanghada]

bersolek, berdandan

menghias wajah dengan cantik dengan mengoles atau memakai kosmetik

masa lampau : 화장하 + 였어요 → 화장했어요
kini : 화장하 + 여요 → 화장해요
masa depan : 화장하 + ㄹ 거예요 → 화장할 거예요

(157) 이사하다 [isahada]

pindah, berpindah

pindah meninggalkan tempat tinggal sebelumnya ke tempat lain

masa lampau : 이사하 + 였어요 → 이사했어요
kini : 이사하 + 여요 → 이사해요
masa depan : 이사하 + ㄹ 거예요 → 이사할 거예요

(158) 머무르다 [meomureuda]

mampir, singgah

berhenti sebentar atau menginap sementara di suatu tempat ketika dalam perjalanan

masa lampau : 머무르 + 었어요 → 머물렀어요
kini : 머무르 + 어요 → 머물러요
masa depan : 머무르 + ㄹ 거예요 → 머무를 거예요

(159) 묵다 [mukda]

menginap, bermalam

menetap sebagai tamu di suatu tempat

masa lampau : 묵 + 었어요 → 묵었어요
kini : 묵 + 어요 → 묵어요
masa depan : 묵 + 을 거예요 → 묵을 거예요

(160) 숙박하다 [sukbakada]

menginap

tidur dan tinggal di penginapan atau hotel dsb

masa lampau : 숙박하 + 였어요 → 숙박했어요
kini : 숙박하 + 여요 → 숙박해요
masa depan : 숙박하 + ㄹ 거예요 → 숙박할 거예요

(161) 체류하다 [cheryuhada]

menetap, bertempat tinggal, berkediaman

meninggalkan rumah kemudian pergi ke suatu tempat dan menetap di sana

masa lampau : 체류하 + 였어요 → 체류했어요
kini : 체류하 + 여요 → 체류해요
masa depan : 체류하 + ㄹ 거예요 → 체류할 거예요

(162) 걸다 [geolda]

menggantung, mengalungkan

menggantungkan suatu benda ke sesuatu agar tidak jatuh

masa lampau : 걸 + 었어요 → 걸었어요
kini : 걸 + 어요 → 걸어요
masa depan : 걸 + ㄹ 거예요 → 걸 거예요

(163) 고치다 [gochida]

memperbaiki, membetulkan

membuat baik sesuatu yang rusak dan yang tidak terpakai agar bisa digunakan atau dimanfaatkan kembali

masa lampau : 고치 + 었어요 → 고쳤어요
kini : 고치 + 어요 → 고쳐요
masa depan : 고치 + ㄹ 거예요 → 고칠 거예요

(164) 끄다 [kkeuda]

mematikan, memadamkan

memutuskan jalan tenaga yang menggerakkan listrik atau mesin kemudian membuat produk elektronik berjalan

masa lampau : 끄 + 었어요 → 껐어요
kini : 끄 + 어요 → 꺼요
masa depan : 끄 + ㄹ 거예요 → 끌 거예요

(165) 빨다 [ppalda]

mencuci

menaruh pakaian dsb di air dan menguceknya dengan tangan atau menghilangkan nodanya dengan mesin cuci

masa lampau : 빨 + 았어요 → 빨았어요
kini : 빨 + 아요 → 빨아요
masa depan : 빨 + ㄹ 거예요 → 빨 거예요

(166) 설거지하다 [seolgeojihada]

mencuci piring

mencuci dan merapikan piring setelah makan

masa lampau : 설거지하 + 였어요 → 설거지했어요
kini : 설거지하 + 여요 → 설거지해요
masa depan : 설거지하 + ㄹ 거예요 → 설거지할 거예요

(167) 세탁하다 [setakada]

mencuci

mencuci pakaian dsb yang kotor

masa lampau : 세탁하 + 였어요 → 세탁했어요
kini : 세탁하 + 여요 → 세탁해요
masa depan : 세탁하 + ㄹ 거예요 → 세탁할 거예요

(168) 정리하다 [jeongnihada]

membereskan, mengumpulkan, membersihkan, mengatur

mengumpulkan atau menyingkirkan sesuatu yang berada dalam keadaan tercerai berai atau berantakan ke satu tempat

masa lampau : 정리하 + 였어요 → 정리했어요
kini : 정리하 + 여요 → 정리해요
masa depan : 정리하 + ㄹ 거예요 → 정리할 거예요

(169) 청소하다 [cheongsohada]

membersihkan, bebersih

menghilangkan, menghapus, atau menyapu bagian yang kotor dan bernoda

masa lampau : 청소하 + 였어요 → 청소했어요
kini : 청소하 + 여요 → 청소해요
masa depan : 청소하 + ㄹ 거예요 → 청소할 거예요

(170) 켜다 [kyeoda]

menyalakan

menyulut api atau menyalakan api pada lampu minyak atau lilin dsb dengan korek api atau geretan dsb

masa lampau : 켜 + 었어요 → 켰어요
kini : 켜 + 어요 → 켜요
masa depan : 켜 + ㄹ 거예요 → 켤 거예요

(171) 말리다 [mallida]

mengeringkan

membuat kandungan air sesuatu menghilang dan menjadi kering

masa lampau : 말리 + 었어요 → 말렸어요
kini : 말리 + 어요 → 말려요
masa depan : 말리 + ㄹ 거예요 → 말릴 거예요

(172) 삶다 [samda]

merebus

merebus dengan air mendidih

masa lampau : 삶 + 았어요 → 삶았어요
kini : 삶 + 아요 → 삶아요
masa depan : 삶 + 을 거예요 → 삶을 거예요

(173) 쓸다 [sseulda]

menyapu

mengumpulkan di satu tempat lalu membuangnya

masa lampau : 쓸 + 었어요 → 쓸었어요
kini : 쓸 + 어요 → 쓸어요
masa depan : 쓸 + ㄹ 거예요 → 쓸 거예요

(174) 가져가다 [gajeogada]

membawa, mengambil

memindahkan suatu barang dari satu tempat ke tempat lain

masa lampau : 가져가 + 았어요 → 가져갔어요
kini : 가져가 + 아요 → 가져가요
masa depan : 가져가 + ㄹ 거예요 → 가져갈 거예요

(175) 가져오다 [gajeooda]

membawakan, mengambilkan

membawakan suatu barang dari satu tempat ke tempat lain

masa lampau : 가져오 + 았어요 → 가져왔어요
kini : 가져오 + 아요 → 가져와요
masa depan : 가져오 + ㄹ 거예요 → 가져올 거예요

(176) 거절하다 [geojeolhada]

menolak

tidak mengabulkan atau menerima hal seperti permintaan atau permohonan orang lain

masa lampau : 거절하 + 였어요 → 거절했어요
kini : 거절하 + 여요 → 거절해요
masa depan : 거절하 + ㄹ 거예요 → 거절할 거예요

(177) 걸다 [geolda]

menelepon

menelepon

masa lampau : 걸 + 었어요 → 걸었어요
kini : 걸 + 어요 → 걸어요
masa depan : 걸 + ㄹ 거예요 → 걸 거예요

(178) 기다리다 [gidarida]

tunggu, menunggu

melewatkan waktu sampai seseorang atau sesuatu datang atau terwujud

masa lampau : 기다리 + 었어요 → 기다렸어요
kini : 기다리 + 어요 → 기다려요
masa depan : 기다리 + ㄹ 거예요 → 기다릴 거예요

(179) 나누다 [nanuda]

berbagi, membagi

saling memberi dan menerima perkataan atau cerita, salam, dsb

masa lampau : 나누 + 었어요 → 나눴어요
kini : 나누 + 어요 → 나눠요
masa depan : 나누 + ㄹ 거예요 → 나눌 거예요

(180) 데려가다 [deryeogada]

mengajak, membawa serta

membuat mengikuti dan pergi bersama

masa lampau : 데려가 + 았어요 → 데려갔어요
kini : 데려가 + 아요 → 데려가요
masa depan : 데려가 + ㄹ 거예요 → 데려갈 거예요

(181) 데려오다 [deryeooda]

mengajak, membawa serta

membuat datang bersama dengan kita

masa lampau : 데려오 + 았어요 → 데려왔어요
kini : 데려오 + 아요 → 데려와요
masa depan : 데려오 + ㄹ 거예요 → 데려올 거예요

(182) 데이트하다 [deiteuhada]

berkencan

wanita dan laki-laki saling bertemu untuk berpacaran

masa lampau : 데이트하 + 였어요 → 데이트했어요
kini : 데이트하 + 여요 → 데이트해요
masa depan : 데이트하 + ㄹ 거예요 → 데이트할 거예요

(183) 도와주다 [dowajuda]

membantu, meringankan, menolong

membantu atau memperingan pekerjaan orang lain

masa lampau : 도와주 + 었어요 → 도와줬어요
kini : 도와주 + 어요 → 도와줘요
masa depan : 도와주 + ㄹ 거예요 → 도와줄 거예요

(184) 돌려주다 [dollyeojuda]

mengembalikan, membayar, menebus

memberi atau membayar kembali sesuatu yang dipinjam, diambil atau diterima dari pemiliknya

masa lampau : 돌려주 + 었어요 → 돌려줬어요
kini : 돌려주 + 어요 → 돌려줘요
masa depan : 돌려주 + ㄹ 거예요 → 돌려줄 거예요

(185) 돕다 [dopda]

membantu, menolong

melakukan sesuatu dengan mengulurkan tangan untuk orang lain

masa lampau : 돕 + 았어요 → 도왔어요
kini : 돕 + 아요 → 도와요
masa depan : 돕 + ㄹ 거예요 → 도울 거예요

(186) 드리다 [deurida]

mempersembahkan, menyerahkan

(dalam sebutan hormat) memberi. menyampaikan sesuatu kepada orang lain

masa lampau : 드리 + 었어요 → 드렸어요
kini : 드리 + 어요 → 드려요
masa depan : 드리 + ㄹ 거예요 → 드릴 거예요

(187) 만나다 [mannada]

bertemu, menemui

seseorang pergi atau datang sehingga dua orang saling berhadapan

masa lampau : 만나 + 았어요 → 만났어요
kini : 만나 + 아요 → 만나요
masa depan : 만나 + ㄹ 거예요 → 만날 거예요

(188) 바꾸다 [bakkuda]

menukar

menghilangkan yang ada, dan menggantikannya dengan yang lain

masa lampau : 바꾸 + 었어요 → 바꿨어요
kini : 바꾸 + 어요 → 바꿔요
masa depan : 바꾸 + ㄹ 거예요 → 바꿀 거예요

(189) 받다 [batda]

menerima, mendapat

memiliki sesuatu yang diberikan atau dikirimkan orang lain

masa lampau : 받 + 았어요 → **받았어요**
kini : 받 + 아요 → **받아요**
masa depan : 받 + 을 거예요 → **받을 거예요**

(190) 방문하다 [bangmunhada]

mengunjungi, mendatangi

mencari seseorang atau suatu tempat untuk tujuan tertentu

masa lampau : 방문하 + 였어요 → **방문했어요**
kini : 방문하 + 여요 → **방문해요**
masa depan : 방문하 + ㄹ 거예요 → **방문할 거예요**

(191) 보내다 [bonaeda]

mengirim

membuat orang atau benda dsb pergi ke tempat lain

masa lampau : 보내 + 었어요 → **보냈어요**
kini : 보내 + 어요 → **보내요**
masa depan : 보내 + ㄹ 거예요 → **보낼 거예요**

(192) 보다 [boda]

menonton, menyaksikan

menikmati atau menyaksikan sesuatu dengan mata

masa lampau : 보 + 았어요 → **봤어요**
kini : 보 + 아요 → **봐요**
masa depan : 보 + ㄹ 거예요 → **볼 거예요**

(193) 뵈다 [boeda]

bertemu, menemui

menemui orang yang lebih tua

masa lampau : 뵈 + 었어요 → 뵀어요
kini : 뵈 + 어요 → 봬요
masa depan : 뵈 + ㄹ 거예요 → 뵐 거예요

(194) 부탁하다 [butakada]

meminta tolong, memohon sesuatu

meminta untuk melakukan suatu hal atau menitipkan sesuatu

masa lampau : 부탁하 + 였어요 → 부탁했어요
kini : 부탁하 + 여요 → 부탁해요
masa depan : 부탁하 + ㄹ 거예요 → 부탁할 거예요

(195) 사귀다 [sagwida]

bergaul, berpacaran

saling mengetahui satu sama lain sehingga menjadi akrab

masa lampau : 사귀 + 었어요 → 사귀었어요
kini : 사귀 + 어요 → 사귀어요
masa depan : 사귀 + ㄹ 거예요 → 사귈 거예요

(196) 세배하다 [sebaehada]

memberi sungkem, menyungkem

melakukan sungkem sebagai tanda hormat kepada orang tua saat tahun baru

masa lampau : 세배하 + 였어요 → 세배했어요
kini : 세배하 + 여요 → 세배해요
masa depan : 세배하 + ㄹ 거예요 → 세배할 거예요

(197) 소개하다 [sogaehada]

memperkenalkan, mengenalkan

mengikatkan hubungan agar dua pihak di antara orang-orang yang saling tidak kenal menjadi kenal dan bergaul

masa lampau : 소개하 + 였어요 → 소개했어요
kini : 소개하 + 여요 → 소개해요
masa depan : 소개하 + ㄹ 거예요 → 소개할 거예요

(198) 신청하다 [sincheonghada]

mendaftar, meminta, memohon

memohon secara formal untuk melakukan sesuatu pada sebuah perkumpulan atau lembaga dsb

masa lampau : 신청하 + 였어요 → 신청했어요
kini : 신청하 + 여요 → 신청해요
masa depan : 신청하 + ㄹ 거예요 → 신청할 거예요

(199) 실례하다 [sillyehada]

tidak sopan, melakukan kesalahan

perkataan atau tindakan keluar dari norma, kesopanan

masa lampau : 실례하 + 였어요 → 실례했어요
kini : 실례하 + 여요 → 실례해요
masa depan : 실례하 + ㄹ 거예요 → 실례할 거예요

(200) 싸우다 [ssauda]

bertengkar, berkelahi

berselisih untuk menang dengan menggunakan perkataan atau kekuatan

masa lampau : 싸우 + 었어요 → 싸웠어요
kini : 싸우 + 어요 → 싸워요
masa depan : 싸우 + ㄹ 거예요 → 싸울 거예요

(201) 안내하다 [annaehada]
menunjukkan, memandu, mengantar

membawa seseorang ke tempat yang tidak diketahui orang atau mengantarkan ke tempat yang ingin didatangi

masa lampau : 안내하 + 였어요 → **안내했어요**
kini : 안내하 + 여요 → **안내해요**
masa depan : 안내하 + ㄹ 거예요 → **안내할 거예요**

(202) 약속하다 [yaksokada]
janji, berjanji

menentukan di awal untuk melakukan suatu hal dengan orang lain

masa lampau : 약속하 + 였어요 → **약속했어요**
kini : 약속하 + 여요 → **약속해요**
masa depan : 약속하 + ㄹ 거예요 → **약속할 거예요**

(203) 얻다 [eotda]
menerima, mendapatkan

menerima tanpa usaha khusus atau pembayaran

masa lampau : 얻 + 었어요 → **얻었어요**
kini : 얻 + 어요 → **얻어요**
masa depan : 얻 + 을 거예요 → **얻을 거예요**

(204) 연락하다 [yeollakada]
menghubungi, menelepon, memberi kabar

menyampaikan dan memberitahukan suatu fakta

masa lampau : 연락하 + 였어요 → **연락했어요**
kini : 연락하 + 여요 → **연락해요**
masa depan : 연락하 + ㄹ 거예요 → **연락할 거예요**

(205) 이기다 [igida]

menang

mengalahkan lawan lalu meraih hasil yang lebih baik dalam taruhan atau pertandingan, pertarungan, dsb

masa lampau : 이기 + 었어요 → 이겼어요
kini : 이기 + 어요 → 이겨요
masa depan : 이기 + ㄹ 거예요 → 이길 거예요

(206) 인사하다 [insahada]

memberi salam

menunjukkan kesopanan saat bertemu atau saat berpisah

masa lampau : 인사하 + 였어요 → 인사했어요
kini : 인사하 + 여요 → 인사해요
masa depan : 인사하 + ㄹ 거예요 → 인사할 거예요

(207) 전하다 [jeonhada]

menyampaikan, memberitahukan

memberitahukan sebuah kabar, pikiran, dsb kepada orang lain atau pasangan

masa lampau : 전하 + 였어요 → 전했어요
kini : 전하 + 여요 → 전해요
masa depan : 전하 + ㄹ 거예요 → 전할 거예요

(208) 정하다 [jeonghada]

memutuskan, menentukan

menetapkan satu di antara banyak pilihan

masa lampau : 정하 + 였어요 → 정했어요
kini : 정하 + 여요 → 정해요
masa depan : 정하 + ㄹ 거예요 → 정할 거예요

(209) 주다 [juda]

kasih, memberi

mengeluarkan barang dsb untuk orang lain kemudian membuat menjadi memiliki atau menggunakannya

masa lampau : 주 + 었어요 → 줬어요
kini : 주 + 어요 → 줘요
masa depan : 주 + ㄹ 거예요 → 줄 거예요

(210) 지다 [jida]

kalah

tidak bisa mengalahkan pihak lawan dalam pertandingan atau perkelahian dsb

masa lampau : 지 + 었어요 → 졌어요
kini : 지 + 어요 → 져요
masa depan : 지 + ㄹ 거예요 → 질 거예요

(211) 지키다 [jikida]

menaati, mematuhi, menepati

mengikuti dan tidak melanggar hukum, peraturan, ketentuan, sopan santung, atau menepati janji

masa lampau : 지키 + 었어요 → 지켰어요
kini : 지키 + 어요 → 지켜요
masa depan : 지키 + ㄹ 거예요 → 지킬 거예요

(212) 찾아가다 [chajagada]

pergi menemui

pergi untuk menemui orang atau melakukan suatu hal

masa lampau : 찾아가 + 았어요 → 찾아갔어요
kini : 찾아가 + 아요 → 찾아가요
masa depan : 찾아가 + ㄹ 거예요 → 찾아갈 거예요

(213) 찾아오다 [chajaoda]

datang, cari, mendatangi

datang untuk bertemu orang atau melakukan sesuatu

masa lampau : 찾아오 + 았어요 → **찾아왔어요**
kini : 찾아오 + 아요 → **찾아와요**
masa depan : 찾아오 + ㄹ 거예요 → **찾아올 거예요**

(214) 초대하다 [chodaehada]

undang, mengundang, mengajak

meminta orang lain untuk datang ke sebuah acara, pertemuan, perjamuan, dsb

masa lampau : 초대하 + 였어요 → **초대했어요**
kini : 초대하 + 여요 → **초대해요**
masa depan : 초대하 + ㄹ 거예요 → **초대할 거예요**

(215) 축하하다 [chukahada]

memberi ucapan selamat

memberi salam dengan hati yang gembira untuk hal baik yang diterima orang lain

masa lampau : 축하하 + 였어요 → **축하했어요**
kini : 축하하 + 여요 → **축하해요**
masa depan : 축하하 + ㄹ 거예요 → **축하할 거예요**

(216) 취소하다 [chwisohada]

menghapus, membatalkan, menarik kembali

menarik kembali apa yang sudah diumumkan atau membatalkan sesuatu yang sudah dijanjikan atau dijadwalkan

masa lampau : 취소하 + 였어요 → **취소했어요**
kini : 취소하 + 여요 → **취소해요**
masa depan : 취소하 + ㄹ 거예요 → **취소할 거예요**

(217) 헤어지다 [heeojida]

berpisah

terpisah dengan orang yang sebelumnya ada bersama

masa lampau : 헤어지 + 었어요 → 헤어졌어요
kini : 헤어지 + 어요 → 헤어져요
masa depan : 헤어지 + ㄹ 거예요 → 헤어질 거예요

(218) 환영하다 [hwanyeonghada]

menyambut, menyambut kedatangan

menyambut orang yang datang dengan gembira dan senang

masa lampau : 환영하 + 였어요 → 환영했어요
kini : 환영하 + 여요 → 환영해요
masa depan : 환영하 + ㄹ 거예요 → 환영할 거예요

(219) 갈아타다 [garatada]

transfer

mengganti jalur kereta api atau bus

masa lampau : 갈아타 + 았어요 → 갈아탔어요
kini : 갈아타 + 아요 → 갈아타요
masa depan : 갈아타 + ㄹ 거예요 → 갈아탈 거예요

(220) 건너가다 [geonneogada]

menyeberang

pergi dari sebelah sini ke sebelah sana di antara sungai atau jembatan, jalan, dsb

masa lampau : 건너가 + 았어요 → 건너갔어요
kini : 건너가 + 아요 → 건너가요
masa depan : 건너가 + ㄹ 거예요 → 건너갈 거예요

(221) 건너다 [geonneoda]

menyeberang

melompat atau melewati sesuatu lalu berpindah ke sisi seberang

masa lampau : 건너 + 었어요 → 건넜어요
kini : 건너 + 어요 → 건너요
masa depan : 건너 + ㄹ 거예요 → 건널 거예요

(222) 내리다 [naerida]

turun, keluar

dari sesuatu yang dinaiki pindah ke luar atau tanah kemudian berdiri dan muncul

masa lampau : 내리 + 었어요 → 내렸어요
kini : 내리 + 어요 → 내려요
masa depan : 내리 + ㄹ 거예요 → 내릴 거예요

(223) 도착하다 [dochakada]

tiba, sampai

mencapai tempat yang dituju

masa lampau : 도착하 + 였어요 → 도착했어요
kini : 도착하 + 여요 → 도착해요
masa depan : 도착하 + ㄹ 거예요 → 도착할 거예요

(224) 막히다 [makida]

macet, tersumbat

banyak mobil di jalan sehingga mobil menjadi tidak bisa lewat dengan lancar

masa lampau : 막히 + 었어요 → 막혔어요
kini : 막히 + 어요 → 막혀요
masa depan : 막히 + ㄹ 거예요 → 막힐 거예요

(225) 안전하다 [anjeonhada]

aman

tidak ada kemungkinan timbulnya bahaya atau kecelakaan

masa lampau : 안전하 + 였어요 → 안전했어요
kini : 안전하 + 여요 → 안전해요
masa depan : 안전하 + ㄹ 거예요 → 안전할 거예요

(226) 운전하다 [unjeonhada]

mengemudikan, mengoperasikan, menjalankan, menggerakkan

menggerakkan dan mengoperasikan mesin atau kendaraan

masa lampau : 운전하 + 였어요 → 운전했어요
kini : 운전하 + 여요 → 운전해요
masa depan : 운전하 + ㄹ 거예요 → 운전할 거예요

(227) 위험하다 [wiheomhada]

berbahaya, berisiko, kritis, genting

tidak aman karena berkemungkinan merugikan atau mencelakai

masa lampau : 위험하 + 였어요 → 위험했어요
kini : 위험하 + 여요 → 위험해요
masa depan : 위험하 + ㄹ 거예요 → 위험할 거예요

(228) 주차하다 [juchahada]

memarkir

menghentikan mobil dsb di suatu tempat

masa lampau : 주차하 + 였어요 → 주차했어요
kini : 주차하 + 여요 → 주차해요
masa depan : 주차하 + ㄹ 거예요 → 주차할 거예요

(229) 출발하다 [chulbalhada]

berangkat

pergi meninggalkan mengikuti jalan menuju suatu tempat

masa lampau : 출발하 + 였어요 → **출발했어요**
kini : 출발하 + 여요 → **출발해요**
masa depan : 출발하 + ㄹ 거예요 → **출발할 거예요**

(230) 타다 [tada]

naik

menaiki sesuatu yang dikendarai, atau tubuh binatang

masa lampau : 타 + 았어요 → **탔어요**
kini : 타 + 아요 → **타요**
masa depan : 타 + ㄹ 거예요 → **탈 거예요**

(231) 출근하다 [chulgeunhada]

masuk kerja

pergi atau muncul di tempat kerja untuk bekerja

masa lampau : 출근하 + 였어요 → **출근했어요**
kini : 출근하 + 여요 → **출근해요**
masa depan : 출근하 + ㄹ 거예요 → **출근할 거예요**

(232) 출퇴근하다 [chultoegeunhada]

masuk dan pulang kantor, pergi dan pulang kerja

pergi ke kantor untuk bekerja atau pulang dari kantor

masa lampau : 출퇴근하 + 였어요 → **출퇴근했어요**
kini : 출퇴근하 + 여요 → **출퇴근해요**
masa depan : 출퇴근하 + ㄹ 거예요 → **출퇴근할 거예요**

(233) 취직하다 [chwijikada]

masuk kerja, mendapatkan pekerjaan

mendapatkan pekerjaan atau tempat bekerja

masa lampau : 취직하 + 였어요 → 취직했어요
kini : 취직하 + 여요 → 취직해요
masa depan : 취직하 + ㄹ 거예요 → 취직할 거예요

(234) 퇴근하다 [toegeunhada]

pulang kerja

kembali atau datang ke rumah setelah menyelesaikan pekerjaan di tempat kerja

masa lampau : 퇴근하 + 였어요 → 퇴근했어요
kini : 퇴근하 + 여요 → 퇴근해요
masa depan : 퇴근하 + ㄹ 거예요 → 퇴근할 거예요

(235) 회의하다 [hoeuihada]

berapat, berkonferensi

beberapa orang berkumpul kemudian berdiskusi

masa lampau : 회의하 + 였어요 → 회의했어요
kini : 회의하 + 여요 → 회의해요
masa depan : 회의하 + ㄹ 거예요 → 회의할 거예요

(236) 거짓말하다 [geojinmalhada]

berbohong, berdusta

berbicara tentang sesuatu yang tidak benar seolah-olah kenyataan

masa lampau : 거짓말하 + 였어요 → 거짓말했어요
kini : 거짓말하 + 여요 → 거짓말해요
masa depan : 거짓말하 + ㄹ 거예요 → 거짓말할 거예요

(237) 농담하다 [nongdamhada]

bercanda, berkelakar, bergurau

berkata-kata untuk menjahili atau membuat tertawa orang lain

masa lampau : 농담하 + 였어요 → 농담했어요
kini : 농담하 + 여요 → 농담해요
masa depan : 농담하 + ㄹ 거예요 → 농담할 거예요

(238) 대답하다 [daedapada]

menjawab

mengatakan sesuatu yang berhubungan dengan yang ditanyakan atau diminta

masa lampau : 대답하 + 였어요 → 대답했어요
kini : 대답하 + 여요 → 대답해요
masa depan : 대답하 + ㄹ 거예요 → 대답할 거예요

(239) 대화하다 [daehwahada]

berdialog, bercakap-cakap, berbincang-bincang, mengobrol

saling berhadapan lalu memberi dan menerima cerita

masa lampau : 대화하 + 였어요 → 했어요
kini : 대화하 + 여요 → 해요
masa depan : 대화하 + ㄹ 거예요 → 할 거예요

(240) 드리다 [deurida]

memberi, menyampaikan

berbicara sesuatu atau memberi salam kepada orang yang lebih tua/tinggi

masa lampau : 드리 + 었어요 → 드렸어요
kini : 드리 + 어요 → 드려요
masa depan : 드리 + ㄹ 거예요 → 드릴 거예요

(241) 말하다 [malhada]

mengatakan

menyampaikan sebuah kenyataan, pikiran, atau perasaan diri sendiri lewat kata-kata

masa lampau : 말하 + 였어요 → **말했어요**
kini : 말하 + 여요 → **말해요**
masa depan : 말하 + ㄹ 거예요 → **말할 거예요**

(242) 묻다 [mutda]

bertanya, menanyakan

berbicara sambil menuntut jawaban atau penjelasan

masa lampau : 묻 + 었어요 → **물었어요**
kini : 묻 + 어요 → **물어요**
masa depan : 묻 + 을 거예요 → **물을 거예요**

(243) 물어보다 [mureoboda]

bertanya, menanyakan

bertanya untuk mengetahui sesuatu

masa lampau : 물어보 + 았어요 → **물어봤어요**
kini : 물어보 + 아요 → **물어봐요**
masa depan : 물어보 + ㄹ 거예요 → **물어볼 거예요**

(244) 설명하다 [seolmyeonghada]

menjelaskan

mengatakan sesuatu dengan mudah cara yang dimengerti oleh orang lain, atau perkataan yang demikian

masa lampau : 설명하 + 였어요 → **설명했어요**
kini : 설명하 + 여요 → **설명해요**
masa depan : 설명하 + ㄹ 거예요 → **설명할 거예요**

(245) 쓰다 [sseuda]

menulis

menarik garis dan menulis tulisan tertentu di kertas menggunakan alat tulis seperti pensil atau pulpen

masa lampau : 쓰 + 었어요 → 썼어요
kini : 쓰 + 어요 → 써요
masa depan : 쓰 + ㄹ 거예요 → 쓸 거예요

(246) 얘기하다 [yaegihada]

bercerita

berbagi pembicaraan dengan orang lain

masa lampau : 얘기하 + 였어요 → 얘기했어요
kini : 얘기하 + 여요 → 얘기해요
masa depan : 얘기하 + ㄹ 거예요 → 얘기할 거예요

(247) 읽다 [ikda]

membaca

melihat tulisan dan mengetahui artinya

masa lampau : 읽 + 었어요 → 읽었어요
kini : 읽 + 어요 → 읽어요
masa depan : 읽 + 을 거예요 → 읽을 거예요

(248) 질문하다 [jilmunhada]

bertanya, menanyakan

menanyakan sesuatu yang tidak diketahui atau ingin diketahui

masa lampau : 질문하 + 였어요 → 질문했어요
kini : 질문하 + 여요 → 질문해요
masa depan : 질문하 + ㄹ 거예요 → 질문할 거예요

(249) 칭찬하다 [chingchanhada]

memuji

menunjukkan hati yang menganggap sangat hebat sisi baik atau kepandaian dsb dengan perkataan

masa lampau : 칭찬하 + 였어요 → **칭찬했어요**
kini : 칭찬하 + 여요 → **칭찬해요**
masa depan : 칭찬하 + ㄹ 거예요 → **칭찬할 거예요**

(250) 끊다 [kkeunta]

memutuskan, memutus, menghentikan

menyelesaikan pekerjaan bertukar perkataan atau pikiran melalui telepon atau internet

masa lampau : 끊 + 었어요 → **끊었어요**
kini : 끊 + 어요 → **끊어요**
masa depan : 끊 + 을 거예요 → **끊을 거예요**

(251) 부치다 [buchida]

mengirim, mengirimkan

mengirim surat atau barang dsb

masa lampau : 부치 + 었어요 → **부쳤어요**
kini : 부치 + 어요 → **부쳐요**
masa depan : 부치 + ㄹ 거예요 → **부칠 거예요**

(252) 줄이다 [jurida]

mengecilkan, mengurangi

membuat panjang, lebar, isi, dsb dari sesuatu menjadi lebih kecil dari sebenarnya

masa lampau : 줄이 + 었어요 → **줄였어요**
kini : 줄이 + 어요 → **줄여요**
masa depan : 줄이 + ㄹ 거예요 → **줄일 거예요**

(253) 줄다 [julda]

menyusut, mengecil, berkurang

panjang atau luas, volume, dsb benda menjadi lebih kecil daripada semula

masa lampau : 줄 + 었어요 → 줄었어요
kini : 줄 + 어요 → 줄어요
masa depan : 줄 + ㄹ 거예요 → 줄 거예요

(254) 비다 [bida]

kosong

tidak ada siapapun atau apapun di dalam suatu ruangan

masa lampau : 비 + 었어요 → 비었어요
kini : 비 + 어요 → 비어요
masa depan : 비 + ㄹ 거예요 → 빌 거예요

(255) 모자라다 [mojarada]

kurang

jumlah atau tingkatnya tidak mencukupi yang sudah ditentukan

masa lampau : 모자라 + 았어요 → 모자랐어요
kini : 모자라 + 아요 → 모자라요
masa depan : 모자라 + ㄹ 거예요 → 모자랄 거예요

(256) 늘다 [neulda]

bertambah, melar

panjang atau luas, volume, dsb dari suatu benda padat menjadi lebih panjang dan lebih besar daripada yang seharusnya

masa lampau : 늘 + 었어요 → 늘었어요
kini : 늘 + 어요 → 늘어요
masa depan : 늘 + ㄹ 거예요 → 늘 거예요

(257) 남다 [namda]

tersisa, bersisa

karena tidak terpakai semua menjadi ada sisa

masa lampau : 남 + 았어요 → 남았어요
kini : 남 + 아요 → 남아요
masa depan : 남 + 을 거예요 → 남을 거예요

(258) 남기다 [namgida]

menyisakan

tidak menghilangkan jumlah atau angka yang ditentukan dan mempertahankan seluruh atau sebagian seperti apa adanya atau seperti sebelumnya

masa lampau : 남기 + 었어요 → 남겼어요
kini : 남기 + 어요 → 남겨요
masa depan : 남기 + ㄹ 거예요 → 남길 거예요

(259) 오다 [oda]

turun, datang

hujan, salju, dsb turun atau dingin dsb datang atau mendekat

masa lampau : 오 + 았어요 → 왔어요
kini : 오 + 아요 → 와요
masa depan : 오 + ㄹ 거예요 → 올 거예요

(260) 불다 [bulda]

bertiup

angin muncul dan bergerak ke suatu arah

masa lampau : 불 + 었어요 → 불었어요
kini : 불 + 어요 → 불어요
masa depan : 불 + ㄹ 거예요 → 불 거예요

(261) 내리다 [naerida]

turun

salju atau hujan dsb datang

masa lampau : 내리 + 었어요 → 내렸어요
kini : 내리 + 어요 → 내려요
masa depan : 내리 + ㄹ 거예요 → 내릴 거예요

(262) 그치다 [geuchida]

berhenti, selesai

kegiatan, pergerakan, fenomena, dsb yang terus berlangsung sebelumnya tidak berjalan lagi dan terhenti

masa lampau : 그치 + 었어요 → 그쳤어요
kini : 그치 + 어요 → 그쳐요
masa depan : 그치 + ㄹ 거예요 → 그칠 거예요

(263) 배우다 [baeuda]

belajar

mendapat pengetahuan baru

masa lampau : 배우 + 었어요 → 배웠어요
kini : 배우 + 어요 → 배워요
masa depan : 배우 + ㄹ 거예요 → 배울 거예요

(264) 가르치다 [gareuchida]

mengajar, mengajarkan, memberitahukan

membuat seseorang/ sekelompok orang menguasai ilmu pengetahuan atau teknik dengan cara menerangkan/ menjelaskan

masa lampau : 가르치 + 었어요 → 가르쳤어요
kini : 가르치 + 어요 → 가르쳐요
masa depan : 가르치 + ㄹ 거예요 → 가르칠 거예요

(265) 팔다 [palda]

menjual

menyerahkan barang atau hak kepada orang lain atau menyediakan usaha dsb setelah menerima bayaran

masa lampau : 팔 + 았어요 → 팔았어요
kini : 팔 + 아요 → 팔아요
masa depan : 팔 + ㄹ 거예요 → 팔 거예요

(266) 팔리다 [pallida]

dijual

barang atau hak kepada orang lain diserahkan atau usaha dsb disediakan setelah menerima bayaran

masa lampau : 팔리 + 었어요 → 팔렸어요
kini : 팔리 + 어요 → 팔려요
masa depan : 팔리 + ㄹ 거예요 → 파릴 거예요

(267) 올리다 [ollida]

menaikkan, mengangkat

meningkatkan atau memperbanyak harga atau angka, energi, dsb

masa lampau : 올리 + 었어요 → 올렸어요
kini : 올리 + 어요 → 올려요
masa depan : 올리 + ㄹ 거예요 → 올릴 거예요

(268) 사다 [sada]

membeli

menjadikan sesuatu atau hak dsb milik dengan memberikan sejumlah uang

masa lampau : 사 + 았어요 → 샀어요
kini : 사 + 아요 → 사요
masa depan : 사 + ㄹ 거예요 → 살 거예요

(269) 빌리다 [billida]

meminjam, menyewa

memakai barang, uang, dan sebagainya untuk waktu tertentu dengan syarat membayar balasan

masa lampau : 빌리 + 었어요 → **빌렸어요**
kini : 빌리 + 어요 → **빌려요**
masa depan : 빌리 + ㄹ 거예요 → **빌릴 거예요**

(270) 벌다 [beolda]

mencari/mengumpulkan uang, mendapat uang

mendapat atau mengumpulkan uang dengan bekerja

masa lampau : 벌 + 었어요 → **벌었어요**
kini : 벌 + 어요 → **벌어요**
masa depan : 벌 + ㄹ 거예요 → **벌 거예요**

(271) 들다 [deulda]

diperlukan, digunakan, terpakai

uang, waktu, usaha, dsb dipakai untuk sesuatu

masa lampau : 들 + 었어요 → **들었어요**
kini : 들 + 어요 → **들어요**
masa depan : 들 + ㄹ 거예요 → **들 거예요**

(272) 깎다 [kkakda]

memotong, mengurangi

menurunkan harga atau biaya

masa lampau : 깎 + 았어요 → **깎았어요**
kini : 깎 + 아요 → **깎아요**
masa depan : 깎 + 을 거예요 → **깎을 거예요**

(273) 갚다 [gapda]

membayar (hutang, jasa)

mengembalikan sesuatu yang dipinjam

masa lampau : 갚 + 았어요 → 갚았어요
kini : 갚 + 아요 → 갚아요
masa depan : 갚 + 을 거예요 → 갚을 거예요

(274) 통화하다 [tonghwahada]

bercakap via telepon, berbicara via telepon, berkomunikasi via telepon

bertukar perkataan menggunakan telepon

masa lampau : 통화하 + 였어요 → 통화했어요
kini : 통화하 + 여요 → 통화해요
masa depan : 통화하 + ㄹ 거예요 → 통화할 거예요

(275) 교환하다 [gyohwanhada]

menukar, mengganti

menukar sesuatu ke sesuatu yang lain

masa lampau : 교환하 + 였어요 → 교환했어요
kini : 교환하 + 여요 → 교환해요
masa depan : 교환하 + ㄹ 거예요 → 교환할 거예요

(276) 배달하다 [baedalhada]

mengantar, mengantarkan

mengantarkan benda pos atau barang, makanan, dsb

masa lampau : 배달하 + 였어요 → 배달했어요
kini : 배달하 + 여요 → 배달해요
masa depan : 배달하 + ㄹ 거예요 → 배달할 거예요

(277) 선택하다 [seontaekada]

memilih

memilih dan menarik satu yang penting di antara beberapa

masa lampau : 선택하 + 였어요 → 선택했어요
kini : 선택하 + 여요 → 선택해요
masa depan : 선택하 + ㄹ 거예요 → 선택할 거예요

(278) 할인하다 [harinhada]

memberikan diskon, memotong harga

memotong seberapa harga dari harga yang ditetapkan

masa lampau : 할인하 + 였어요 → 할인했어요
kini : 할인하 + 여요 → 할인해요
masa depan : 할인하 + ㄹ 거예요 → 할인할 거예요

(279) 환전하다 [hwanjeonhada]

menukar uang

saling menukar mata uang suatu negara dengan mata uang negara lain

masa lampau : 환전하 + 였어요 → 환전했어요
kini : 환전하 + 여요 → 환전해요
masa depan : 환전하 + ㄹ 거예요 → 환전할 거예요

(280) 결석하다 [gyeolseokada]

tidak hadir, absen

tidak masuk atau tidak muncul ke tempat atau situasi resmi seperti sekolah, kantor, rapat, dsb

masa lampau : 결석하 + 였어요 → 결석했어요
kini : 결석하 + 여요 → 결석해요
masa depan : 결석하 + ㄹ 거예요 → 결석할 거예요

(281) 공부하다 [gongbuhada]

belajar

memperoleh pengetahuan dengan menjalani pendidikan, atau mendalami suatu keterampilan

masa lampau : 공부하 + 였어요 → 공부했어요
kini : 공부하 + 여요 → 공부해요
masa depan : 공부하 + ㄹ 거예요 → 공부할 거예요

(282) 교육하다 [gyoyukada]

mendidik, mengajarkan, mengarahkan, membimbing

mengajarkan ilmu pengetahuan, teknologi, budaya, dsb untuk mengembangkan kemampuan diri

masa lampau : 교육하 + 였어요 → 교육했어요
kini : 교육하 + 여요 → 교육해요
masa depan : 교육하 + ㄹ 거예요 → 교육할 거예요

(283) 복습하다 [bokseupada]

mengulang

menelaah kembali pelajaran yang telah dipelajari

masa lampau : 복습하 + 였어요 → 복습했어요
kini : 복습하 + 여요 → 복습해요
masa depan : 복습하 + ㄹ 거예요 → 복습할 거예요

(284) 숙제하다 [sukjehada]

mengerjakan pekerjaan rumah, mengerjakan PR

melakukan tugas yang diberikan kepada siswa untuk mempersiapkan atau mengulangi pelajaran setelah kelas

masa lampau : 숙제하 + 였어요 → 숙제했어요
kini : 숙제하 + 여요 → 숙제해요
masa depan : 숙제하 + ㄹ 거예요 → 숙제할 거예요

(285) 연습하다 [yeonseupada]

berlatih

menguasai sesuatu dengan cara mengulangi melakukannya untuk mematangkan

masa lampau : 연습하 + 였어요 → **연습했어요**
kini : 연습하 + 여요 → **연습해요**
masa depan : 연습하 + ㄹ 거예요 → **연습할 거예요**

(286) 예습하다 [yeseupada]

mempersiapkan pelajaran

mempelajari terlebih dahulu sesuatu bahan yang akan dipelajari

masa lampau : 예습하 + 였어요 → **예습했어요**
kini : 예습하 + 여요 → **예습해요**
masa depan : 예습하 + ㄹ 거예요 → **예습할 거예요**

(287) 입학하다 [ipakada]

masuk sekolah, masuk universitas

menjadi murid kemudian masuk sekolah untuk belajar

masa lampau : 입학하 + 였어요 → **입학했어요**
kini : 입학하 + 여요 → **입학해요**
masa depan : 입학하 + ㄹ 거예요 → **입학할 거예요**

(288) 졸업하다 [joreopada]

lulus, tamat

menyelesaikan proses belajar siswa yang ditentukan di sekolah

masa lampau : 졸업하 + 였어요 → **졸업했어요**
kini : 졸업하 + 여요 → **졸업해요**
masa depan : 졸업하 + ㄹ 거예요 → **졸업할 거예요**

(289) 지각하다 [jigakada]

terlambat

masuk kantor atau sekolah lebih terlambat daripada waktu yang ditentukan

masa lampau : 지각하 + 였어요 → **지각했어요**
kini : 지각하 + 여요 → **지각해요**
masa depan : 지각하 + ㄹ 거예요 → **지각할 거예요**

(290) 출석하다 [chulseokada]

hadir, masuk, tidak absen

menghadiri pelajaran, pertemuan, dsb

masa lampau : 출석하 + 였어요 → **출석했어요**
kini : 출석하 + 여요 → **출석해요**
masa depan : 출석하 + ㄹ 거예요 → **출석할 거예요**

한국어(bahasa Korea)

형용사(adjektiva) 137

(1) 고프다 [gopeuda]

lapar

merasa ingin makan karena perut kosong

배가 고파요.

baega gopayo.

배+가 고프(고프)+아요.
　　　　고파요

배 : perut
가 : partikel yang menyatakan objek dari suatu keadaan atau kondisi atau pelaku dari suatu tindakan
고프다 : lapar
-아요 : (dalam bentuk hormat) kata penutup final yang mengungkapkan suatu kenyataan atau menyatakan pertanyaan, perintah, atau ajakan <penjabaran>

(2) 부르다 [bureuda]

kenyang

perut dalam keadaan penuh terisi karena makan

배가 불러요.

baega bulleoyo.

배+가 부르(불ㄹ)+어요.
　　　　불러요

배 : perut
가 : partikel yang menyatakan objek dari suatu keadaan atau kondisi atau pelaku dari suatu tindakan
부르다 : kenyang
-어요 : (dalam bentuk hormat) kata penutup final yang mengungkapkan suatu kenyataan atau menyatakan pertanyaan, perintah, atau ajakan <penjabaran>

(3) 아프다 [apeuda]

sakit, nyeri

merasa sakit atau menderita karena terluka atau timbul penyakit

목이 아파요.

mogi apayo.

목+이 아프(아파)+아요.
　　　　　아파요

목 : leher
이 : partikel yang menyatakan objek dari suatu keadaan atau kondisi atau pelaku dari suatu tindakan
아프다 : sakit, nyeri
-아요 : (dalam bentuk hormat) kata penutup final yang mengungkapkan suatu kenyataan atau menyatakan pertanyaan, perintah, atau ajakan <penjabaran>

(4) 고맙다 [gomapda]

terima kasih

perasaan senang dan ingin membalas budi kepada orang lain yang telah melakukan kebaikan untuk kita

도와줘서 고마워요.

dowajwoseo gomawoyo.

도와주+어서 고맙(고마우)+어요.
　　　　　　고마워요

도와주다 : membantu, meringankan, menolong
-어서 : kata penutup sambung yang menyatakan alasan atau landasan
고맙다 : terima kasih
-어요 : (dalam bentuk hormat) kata penutup final yang mengungkapkan suatu kenyataan atau menyatakan pertanyaan, perintah, atau ajakan <penjabaran>

(5) 괜찮다 [gwaenchanta]

lumayan baik, tidak apa-apa, bagus

cukup baik

맛이 <u>괜찮아요</u>.

masi gwaenchanayo.

맛+이 괜찮+아요.

맛 : rasa
이 : partikel yang menyatakan objek dari suatu keadaan atau kondisi atau pelaku dari suatu tindakan
괜찮다 : lumayan baik, tidak apa-apa, bagus
-아요 : (dalam bentuk hormat) kata penutup final yang mengungkapkan suatu kenyataan atau menyatakan pertanyaan, perintah, atau ajakan <penjabaran>

(6) 귀엽다 [gwiyeopda]
lucu, menyenangkan, menarik hati, manis
cantik atau menimbulkan rasa sayang saat dilihat

얼굴이 <u>귀여워요</u>.

eolguri gwiyeowoyo.

얼굴+이 <u>귀엽(귀여우)+어요</u>.
            귀여워요

얼굴 : wajah, muka
이 : partikel yang menyatakan objek dari suatu keadaan atau kondisi atau pelaku dari suatu tindakan
귀엽다 : lucu, menyenangkan, menarik hati, manis
-어요 : (dalam bentuk hormat) kata penutup final yang mengungkapkan suatu kenyataan atau menyatakan pertanyaan, perintah, atau ajakan <penjabaran>

(7) 귀찮다 [gwichanta]
malas
tidak suka dan menyebalkan

씻기가 <u>귀찮아요</u>.

ssitgiga gwichanayo.

씻+기+가 귀찮+아요.

씻다 : mencuci
-기 : akhiran yang membuat kata di depannya berfungsi sebagai kata benda
가 : partikel yang menyatakan objek dari suatu keadaan atau kondisi atau pelaku dari suatu tindakan
귀찮다 : malas
-아요 : (dalam bentuk hormat) kata penutup final yang mengungkapkan suatu kenyataan atau menyatakan pertanyaan, perintah, atau ajakan <penjabaran>

(8) 그립다 [geuripda]
rindu
sangat ingin melihat dan bertemu

가족이 그리워요.
gajogi geuriwoyo.

가족+이 그립(그리우)+어요.
       그리워요

가족 : keluarga atau anggota keluarga
이 : partikel yang menyatakan objek dari suatu keadaan atau kondisi atau pelaku dari suatu tindakan
그립다 : rindu
-어요 : (dalam bentuk hormat) kata penutup final yang mengungkapkan suatu kenyataan atau menyatakan pertanyaan, perintah, atau ajakan <penjabaran>

(9) 기쁘다 [gippeuda]
senang, gembira
bersuka hati dan merasa gembira

시험에 합격해서 기뻐요.
siheome hapgyeokaeseo gippeoyo.

시험+에 합격하+여서 기쁘(기쁘)+어요.
                   기뻐요

시험 : ujian
에 :
합격하다 : partikel yang menyatakan kalimat di depan adalah objek suatu tindakan atau perasaan dsb

-여서 : kata penutup sambung yang menyatakan alasan atau landasan

기쁘다 : senang, gembira

-어요 : (dalam bentuk hormat) kata penutup final yang mengungkapkan suatu kenyataan atau menyatakan pertanyaan, perintah, atau ajakan <penjabaran>

(10) 답답하다 [dapdapada]

sesak

napas tersumbat atau susah bernapas

가슴이 답답해요.

gaseumi dapdapaeyo.

가슴+이 답답하+여요.
　　　　답답해요

가슴 : dada, jantung, paru-paru

이 : partikel yang menyatakan objek dari suatu keadaan atau kondisi atau pelaku dari suatu tindakan

답답하다 : sesak

-여요 : (dalam bentuk hormat) kata penutup final yang mengungkapkan suatu kenyataan atau menyatakan pertanyaan, perintah, atau ajakan <penjabaran>

(11) 무섭다 [museopda]

takut, menakutkan

merasa takut sesuatu akan melukai atau sesuatu akan terjadi

귀신이 무서워요.

gwisini museowoyo.

귀신+이 무섭(무서우)+어요.
　　　　무서워요

귀신 : roh halus, roh

이 : partikel yang menyatakan objek dari suatu keadaan atau kondisi atau pelaku dari suatu tindakan

무섭다 : takut, menakutkan

-어요 : (dalam bentuk hormat) kata penutup final yang mengungkapkan suatu kenyataan atau menyatakan pertanyaan, perintah, atau ajakan <penjabaran>

(12) 반갑다 [bangapda]

senang, bahagia, gembira

bertemu orang yang dirindukan atau hal yang diinginkan terwujud sehingga hati senang dan gembira

만나게 되어 <u>반가워요</u>.

mannage doeeo bangawoyo.

만나+[게 되]+어 <u>반갑(반가우)+어요</u>.
    반가워요

만나다 : bertemu, menemui

-게 되다 : ungkapan yang menyatakan keadaan atau situasi yang disebutkan dalam kalimat di depan terwujud, atau menyatakan terwujud dalam keadaan demikian

-어 : akhiran penghubung untuk menyatakan bahwa anak kalimat menjadi sebab atau alasan terhadap kalimat induk.

반갑다 : senang, bahagia, gembira

-어요 : (dalam bentuk hormat) kata penutup final yang mengungkapkan suatu kenyataan atau menyatakan pertanyaan, perintah, atau ajakan <penjabaran>

(13) 부끄럽다 [bukkeureopda]

malu, tersipu

tersipu atau malu

칭찬해 주시니 <u>부끄러워요</u>.

chingchanhae jusini bukkeureowoyo.

<u>칭찬하+[여 주]+시+니 부끄럽(부끄러우)+어요</u>.
    칭찬해 주시니   부끄러워요

칭찬하다 : memuji

-여 주다 : ungkapan yang menyatakan melakukan tindakan yang disebutkan dalam kalimat di depan untuk orang lain

-시- : akhiran kalimat yang menyatakan arti meninggikan subjek atau topik suatu tindakan atau keadaan

-니 : akhiran kalimat penyambung yang menyatakan bahwa kalimat di depan menjadi alasan, dasar, atau premis dari kalimat di belakang

부끄럽다 : malu, tersipu

-어요 : (dalam bentuk hormat) kata penutup final yang mengungkapkan suatu kenyataan atau menyatakan pertanyaan, perintah, atau ajakan <penjabaran>

(14) 부럽다 [bureopda]

iri, cemburu, sirik

hal atau barang orang lain terlihat bagus sehingga ada hati yang berharap diri sendiri bisa mewujudkan hal tersebut atau memiliki barang tersebut

한국어 잘하는 사람이 <u>부러워요</u>.

hangugeo jalhaneun sarami bureowoyo.

한국어 잘하+는 사람+이 <u>부럽(부러우)+어요</u>.
　　　　　　　　　　　부러워요

한국어 : bahasa Korea

잘하다 : cakap, terampil, pandai, tangkas, ahli, mahir

-는 : akhiran untuk membuat kata di depannya berfungsi sebagai pewatas dan menyatakan kejadian atau tindakan terjadi sekarang

사람 : manusia, orang

이 : partikel yang menyatakan objek dari suatu keadaan atau kondisi atau pelaku dari suatu tindakan

부럽다 : iri, cemburu, sirik

-어요 : (dalam bentuk hormat) kata penutup final yang mengungkapkan suatu kenyataan atau menyatakan pertanyaan, perintah, atau ajakan <penjabaran>

(15) 불쌍하다 [bulssanghada]

kasihan, memelas, mengibakan

keadaan atau kondisinya tidak baik sehingga kasihan dan hatinya sedih

주인을 잃은 강아지가 <u>불쌍해요</u>.

juineul ireun gangajiga bulssanghaeyo.

주인+을 잃+은 강아지+가 <u>불쌍하+여요</u>.
　　　　　　　　　　불쌍해요

주인 : pemilik, tuan

을 : partikel yang menyatakan objek dari suatu gerakan yang secara langsung memberikan pengaruh

잃다 : kehilangan

-은 : akhiran yang membuat kata di depannya berfungsi sebagai kata pewatas, dan menyatakan bahwa tindakan atau peristiwa sudah selesai dan menahan keadaan itu

강아지 : anak anjing

가 : partikel yang menyatakan objek dari suatu keadaan atau kondisi atau pelaku dari suatu tindakan

불쌍하다 : kasihan, memelas, mengibakan

-여요 : (dalam bentuk hormat) kata penutup final yang mengungkapkan suatu kenyataan atau menyatakan pertanyaan, perintah, atau ajakan <penjabaran>

(16) 섭섭하다 [seopseopada]

menyesal, kecewa

kecewa dan menyesalkan

선생님과 헤어지기가 섭섭해요.

seonsaengnimgwa heeojigiga seopseopaeyo.

선생님+과 헤어지+기+가 섭섭하+여요.
섭섭해요

선생님 : bapak atau ibu guru

과 : partikel yang menyatakan menjadi rekan dengan seseorang dan rekan dalam melakukan suatu pekerjaan

헤어지다 : berpisah

-기 : akhiran yang membuat kata di depannya berfungsi sebagai kata benda

가 : partikel yang menyatakan objek dari suatu keadaan atau kondisi atau pelaku dari suatu tindakan

섭섭하다 : menyesal, kecewa

-여요 : (dalam bentuk hormat) kata penutup final yang mengungkapkan suatu kenyataan atau menyatakan pertanyaan, perintah, atau ajakan <penjabaran>

(17) 소중하다 [sojunghada]

berharga, sangat berarti

sangat berharga

가족이 가장 소중해요.

gajogi gajang sojunghaeyo.

가족+이 가장 <u>소중하+여요</u>.
        소중해요

가족 : keluarga atau anggota keluarga
이 : partikel yang menyatakan objek dari suatu keadaan atau kondisi atau pelaku dari suatu tindakan
가장 : paling
소중하다 : berharga, sangat berarti
-여요 : (dalam bentuk hormat) kata penutup final yang mengungkapkan suatu kenyataan atau menyatakan pertanyaan, perintah, atau ajakan <penjabaran>

(18) 슬프다 [seulpeuda]

sedih

hati sakit dan menderita sampai mengeluarkan air mata

영화의 내용이 <u>슬퍼요</u>.
yeonghwae naeyongi seulpeoyo.

영화+의 내용+이 <u>슬프(슬프)+어요</u>.
        슬퍼요

영화 : film
의 : partikel yang menyatakan perkataan di depan memiliki hubungan kepemilikian, bagian tempat diri bekerja, bahan, hubungan, asal, topik dengan perkataan di belakang
내용 : isi, penjelasan, jalan cerita, konten
이 : partikel yang menyatakan objek dari suatu keadaan atau kondisi atau pelaku dari suatu tindakan
슬프다 : sedih
-어요 : (dalam bentuk hormat) kata penutup final yang mengungkapkan suatu kenyataan atau menyatakan pertanyaan, perintah, atau ajakan <penjabaran>

(19) 시원하다 [siwonhada]

sejuk, segar

tidak panas, tidak dingin, dan cukup sejuk

바람이 <u>시원해요</u>.
barami siwonhaeyo.

바람+이 시원하+여요.
　　　　　시원해요

바람 : angin
이 : partikel yang menyatakan objek dari suatu keadaan atau kondisi atau pelaku dari suatu tindakan
시원하다 : sejuk, segar
-여요 : (dalam bentuk hormat) kata penutup final yang mengungkapkan suatu kenyataan atau menyatakan pertanyaan, perintah, atau ajakan <penjabaran>

(20) 싫다 [silta]
benci, sebal, tidak suka
tidak berkenan di hati

매운 음식이 싫어요.
maeun eumsigi sireoyo.

맵(매우)+ㄴ 음식+이 싫+어요.
　　매운

맵다 : pedas
-ㄴ : akhiran yang membuat kata di depannya berfungsi sebagai kata pewatas, dan menyatakan keadaan saat ini
음식 : pangan, makanan
이 : partikel yang menyatakan objek dari suatu keadaan atau kondisi atau pelaku dari suatu tindakan
싫다 : benci, sebal, tidak suka
-어요 : (dalam bentuk hormat) kata penutup final yang mengungkapkan suatu kenyataan atau menyatakan pertanyaan, perintah, atau ajakan <penjabaran>

(21) 외롭다 [oeropda]
sepi, sunyi
sepi karena berada sendiri atau tidak ada tempat untuk bersandar

지금 몹시 외로워요.
jigeum mopsi oerowoyo.

지금 몹시 <u>외롭(외로우)</u>+어요.
　　　　　　외로워요

지금 : sekarang
몹시 : sangat, terlampau, terlalu, amat, teramat
외롭다 : sepi, sunyi
-어요 : (dalam bentuk hormat) kata penutup final yang mengungkapkan suatu kenyataan atau menyatakan pertanyaan, perintah, atau ajakan <penjabaran>

(22) 좋다 [jota]

bagus, baik

karakter atau sifat dsb sesuatu hebat dan cukup memuaskan

이 물건은 품질이 <u>좋아요</u>.

i mulgeoneun pumjiri joayo.

이 물건+은 품질+이 좋+아요.

이 : ini, si ini
물건 : benda
은 : partikel yang menyatakan suatu objek menjadi topik di dalam kalimat
품질 : kualitas, mutu
이 : partikel yang menyatakan objek dari suatu keadaan atau kondisi atau pelaku dari suatu tindakan
좋다 : bagus, baik
-아요 : (dalam bentuk hormat) kata penutup final yang mengungkapkan suatu kenyataan atau menyatakan pertanyaan, perintah, atau ajakan <penjabaran>

(23) 죄송하다 [joesonghada]

merasa bersalah

merasa sangat bersalah seperti melakukan kejahatan

늦어서 <u>죄송해요</u>.

neujeoseo joesonghaeyo.

늦+어서 <u>죄송하</u>+여요.
　　　　　죄송해요

늦다 : lambat, terlambat
-어서 : kata penutup sambung yang menyatakan alasan atau landasan
죄송하다 : merasa bersalah
-여요 : (dalam bentuk hormat) kata penutup final yang mengungkapkan suatu kenyataan atau menyatakan pertanyaan, perintah, atau ajakan <penjabaran>

(24) 즐겁다 [jeulgeopda]

menyenangkan

berkenan di hati sehingga merasa puas dan gembira

여행은 언제나 즐거워요.
yeohaengeun eonjena jeulgeowoyo.

여행+은 언제나 즐겁(즐거우)+어요.
　　　　　　　　　즐거워요

여행 : wisata, perjalanan
은 : partikel yang menyatakan suatu objek menjadi topik di dalam kalimat
언제나 : kapan saja, kapan pun
즐겁다 : menyenangkan
-어요 : (dalam bentuk hormat) kata penutup final yang mengungkapkan suatu kenyataan atau menyatakan pertanyaan, perintah, atau ajakan <penjabaran>

(25) 급하다 [geupada]

mendesak

situasi atau kondisi berada dalam keadaan harus segera diselesaikan

갑자기 급한 일이 생겼어요.
gapjagi geupan iri saenggyeosseoyo.

갑자기 급하+ㄴ 일+이 생기+었+어요.
　　　　급한　　　　　　생겼어요

갑자기 : tiba-tiba
급하다 : mendesak

-ㄴ : akhiran yang membuat kata di depannya berfungsi sebagai kata pewatas, dan menyatakan keadaan saat ini

일 : urusan, masalah

이 : partikel yang menyatakan objek dari suatu keadaan atau kondisi atau pelaku dari suatu tindakan

생기다 : terjadi, terdapat

-었- : akhiran kalimat yang menyatakan sebuah peristiwa sudah selesai di masa lampau atau menyatakan keadaan di mana hasil peristiwa tersebut terus berlangsung hingga sekarang

-어요 : (dalam bentuk hormat) kata penutup final yang mengungkapkan suatu kenyataan atau menyatakan pertanyaan, perintah, atau ajakan <penjabaran>

(26) 조용하다 [joyonghada]

diam

kata-katanya sedikit, dan sikapnya anteng

도서관에서는 조용하게 말하세요.

doseogwaneseoneun joyonghage malhaseyo.

도서관+에서+는 조용하+게 말하+세요.

도서관 : perpustakaan

에서 : partikel yang menyatakan bahwa kata di depannya adalah tempat tindakan terjadi

는 : partikel yang menyatakan suatu objek menjadi topik di dalam kalimat

조용하다 : diam

-게 : kata penutup sambung yang menyatakan isi kalimat di depan dibutuhkan sementara kalimat di belakang terus dilanjutkan(formal, kedudukan penerima sangat rendah)

말하다 : mengatakan

-세요 : (dalam bentuk hormat) akhiran kalimat penutup yang menyatakan arti penjelasan, pertanyaan, perintah, permintaan, dsb <perintah>

(27) 곧다 [gotda]

lurus, benar

jalan, garis, posisi tidak berbelok dan lurus

허리를 곧게 펴세요.

heorireul gotge pyeoseyo.

허리+를 곧+게 펴+세요.

허리 : pinggang

를 : partikel yang menyatakan objek dari suatu gerakan yang secara langsung memberikan pengaruh

곧다 : lurus, benar

-게 : kata penutup sambung yang menyatakan isi kalimat di depan dibutuhkan sementara kalimat di belakang terus dilanjutkan(formal, kedudukan penerima sangat rendah)

펴다 : meluruskan, membentangkan

-세요 : (dalam bentuk hormat) akhiran kalimat penutup yang menyatakan arti penjelasan, pertanyaan, perintah, permintaan, dsb <perintah>

(28) 까다롭다 [kkadaropda]

rumit, kompleks, sulit

syarat atau cara yang rumit, ketat, dan tidak mudah dihadapi

이 문제는 까다로워요.

i munjeneun kkadarowoyo.

이 문제+는 까다롭(까다로우)+어요.
　　　　　　 까따로워요

이 : ini, si ini

문제 : soal, pertanyaan

는 : partikel yang menyatakan suatu objek menjadi topik di dalam kalimat

까다롭다 : rumit, kompleks, sulit

-어요 : (dalam bentuk hormat) kata penutup final yang mengungkapkan suatu kenyataan atau menyatakan pertanyaan, perintah, atau ajakan <penjabaran>

(29) 깔끔하다 [kkalkkeumhada]

rapi, bersih, teratur

penampilan rapi dan bersih

방이 아주 깔끔해요.

bangi aju kkalkkeumhaeyo.

방+이 아주 깔끔하+여요.
　　　　　 깔끔해요

방 : ruang, kamar
이 : partikel yang menyatakan objek dari suatu keadaan atau kondisi atau pelaku dari suatu tindakan
아주 : sangat
깔끔하다 : rapi, bersih, teratur
-여요 : (dalam bentuk hormat) kata penutup final yang mengungkapkan suatu kenyataan atau menyatakan pertanyaan, perintah, atau ajakan <penjabaran>

(30) 냉정하다 [naengjeonghada]

dingin, kaku

sikap dingin dan tidak hangat

성격이 냉정해요.

seonggyeogi naengjeonghaeyo.

성격+이 냉정하+여요.
　　　　　냉정해요

성격 : sifat, karakter, watak
이 : partikel yang menyatakan objek dari suatu keadaan atau kondisi atau pelaku dari suatu tindakan
냉정하다 : dingin, kaku
-여요 : (dalam bentuk hormat) kata penutup final yang mengungkapkan suatu kenyataan atau menyatakan pertanyaan, perintah, atau ajakan <penjabaran>

(31) 너그럽다 [neogeureopda]

dengan lapang dada, murah hati, tenggang hati

sangat memahami kondisi orang lain dan berhati luas

마음이 너그러워요.

maeumi neogeureowoyo.

마음+이 너그럽(너그러우)+어요.
　　　　　너그러워요

마음 : hati, perasaan
이 : partikel yang menyatakan objek dari suatu keadaan atau kondisi atau pelaku dari suatu tindakan
너그럽다 : dengan lapang dada, murah hati, tenggang hati

-어요 : (dalam bentuk hormat) kata penutup final yang mengungkapkan suatu kenyataan atau menyatakan pertanyaan, perintah, atau ajakan <penjabaran>

(32) 느긋하다 [neugeutada]

luang, lapang, santai

tidak tergesa-gesa dan hati terasa luang/lapang

숙제를 끝내서 마음이 느긋해요.

sukjereul kkeunnaeseo maeumi neugeutaeyo.

숙제+를 끝내+어서 마음+이 느긋하+여요.
　　　　　　끝내서　　　　　느긋해요

숙제 : pekerjaan rumah, PR
를 : partikel yang menyatakan objek dari suatu gerakan yang secara langsung memberikan pengaruh
끝내다 : menyelesaikan
-어서 : kata penutup sambung yang menyatakan alasan atau landasan
마음 : hati, perasaan
이 : partikel yang menyatakan objek dari suatu keadaan atau kondisi atau pelaku dari suatu tindakan
느긋하다 : luang, lapang, santai
-여요 : (dalam bentuk hormat) kata penutup final yang mengungkapkan suatu kenyataan atau menyatakan pertanyaan, perintah, atau ajakan <penjabaran>

(33) 다정하다 [dajeonghada]

mesra, hangat, intim

(hubungan) akrab, intim, manis, dan hangat

아버지는 가족들에게 무척 다정해요.

abeojineun gajokdeurege mucheok dajeonghaeyo.

아버지+는 가족+들+에게 무척 다정하+여요.
　　　　　　　　　　　　　　다정해요

아버지 : ayah, bapak, papa
는 : partikel yang menyatakan suatu objek menjadi topik di dalam kalimat
가족 : keluarga atau anggota keluarga

들 : akhiran yang menambahkan arti "jamak"

에게 : partikel yang menyatakan sesuatu yang mendapat pengaruh dari sebuah tindakan

무척 : sangat, benar-benar

다정하다 : mesra, hangat, intim

-여요 : (dalam bentuk hormat) kata penutup final yang mengungkapkan suatu kenyataan atau menyatakan pertanyaan, perintah, atau ajakan <penjabaran>

(34) 못되다 [motdoeda]

jahat

karakter atau tindakannya buruk secara moral

동생은 못된 버릇이 있어요.

dongsaengeun motdoen beoreusi isseoyo.

동생+은 못되+ㄴ 버릇+이 있+어요.
　　　　　못된

동생 : adik

은 : partikel yang menyatakan suatu objek menjadi topik di dalam kalimat

못되다 : jahat

-ㄴ : akhiran yang membuat kata di depannya berfungsi sebagai kata pewatas, dan menyatakan keadaan saat ini

버릇 : kebiasaan, tabiat

이 : partikel yang menyatakan objek dari suatu keadaan atau kondisi atau pelaku dari suatu tindakan

있다 : ada, sudah punya

-어요 : (dalam bentuk hormat) kata penutup final yang mengungkapkan suatu kenyataan atau menyatakan pertanyaan, perintah, atau ajakan <penjabaran>

(35) 변덕스럽다 [byeondeokseureopda]

berubah-ubah, plinplan, tidak tetap

perkataan atau sikap, perasaan, cuaca, dsb ada yang sering berubah-ubah

요즘 날씨가 변덕스러워요.

yojeum nalssiga byeondeokseureowoyo.

요즘 날씨+가 변덕스럽(변덕스러우)+어요.
　　　　　　　변덕스러워요

요즘 : akhir-akhir ini, belakangan ini

날씨 : cuaca

가 : partikel yang menyatakan objek dari suatu keadaan atau kondisi atau pelaku dari suatu tindakan

변덕스럽다 : berubah-ubah, plinplan, tidak tetap

-어요 : (dalam bentuk hormat) kata penutup final yang mengungkapkan suatu kenyataan atau menyatakan pertanyaan, perintah, atau ajakan <penjabaran>

(36) 솔직하다 [soljikada]

jujur, terus terang

tak ada kebohongan atau kepura-puraan

묻는 말에 솔직하게 대답하세요.

munneun mare soljikage daedapaseyo.

묻+는 말+에 솔직하+게 대답하+세요.

묻다 : bertanya, menanyakan

-는 : akhiran untuk membuat kata di depannya berfungsi sebagai pewatas dan menyatakan kejadian atau tindakan terjadi sekarang

말 : perkataan, kata-kata

에 : partikel yang menyatakan kalimat di depan adalah objek suatu tindakan atau perasaan dsb

솔직하다 : jujur, terus terang

-게 : kata penutup sambung yang menyatakan isi kalimat di depan dibutuhkan sementara kalimat di belakang terus dilanjutkan(formal, kedudukan penerima sangat rendah)

대답하다 : menjawab

-세요 : (dalam bentuk hormat) akhiran kalimat penutup yang menyatakan arti penjelasan, pertanyaan, perintah, permintaan, dsb <perintah>

(37) 순수하다 [sunsuhada]

polos

tidak ada pamrih atau pikiran buruk

순수하게 세상을 살고 싶어요.

sunsuhage sesangeul salgo sipeoyo.

순수하+게 세상+을 살+[고 싶]+어요.

순수하다 : polos

-게 : kata penutup sambung yang menyatakan isi kalimat di depan dibutuhkan sementara kalimat di belakang terus dilanjutkan(formal, kedudukan penerima sangat rendah)

세상 : bumi

을 : partikel yang menyatakan objek dari suatu gerakan yang secara langsung memberikan pengaruh

살다 : hidup

-고 싶다 : ungkapan yang menyatakan bahwa pembicara ingin melakukan tindakan yang disebut dalam kalimat di depan

-어요 : (dalam bentuk hormat) kata penutup final yang mengungkapkan suatu kenyataan atau menyatakan pertanyaan, perintah, atau ajakan <penjabaran>

(38) 순진하다 [sunjinhada]

lugu, murni, suci, sederhana, mulia

perasaan tulus tanpa maksud apa-apa

그 사람은 어린아이처럼 순진해요.

geu sarameun eorinaicheoreom sunjinhaeyo.

그 사람+은 어린아이+처럼 순진하+여요.
순진해요

그 : itu

사람 : manusia, orang

은 : partikel yang menyatakan suatu objek menjadi topik di dalam kalimat

어린아이 : anak kecil, anak muda

처럼 : partikel yang menyatakan bentuk atau taraf saling mirip atau sama

순진하다 : lugu, murni, suci, sederhana, mulia

-여요 : (dalam bentuk hormat) kata penutup final yang mengungkapkan suatu kenyataan atau menyatakan pertanyaan, perintah, atau ajakan <penjabaran>

(39) 순하다 [sunhada]

Tiada Penjelasan Arti

sifat, perbuatan, dsb halus dan bersahabat

아이가 성격이 순해요.

aiga seonggyeogi sunhaeyo.

아이+가 성격+이 순하+여요.
　　　　　　　　　순해요

아이 : anak
가 : partikel yang menyatakan objek dari suatu keadaan atau kondisi atau pelaku dari suatu tindakan
성격 : sifat, karakter, watak
이 : partikel yang menyatakan objek dari suatu keadaan atau kondisi atau pelaku dari suatu tindakan
순하다 : sifat, perbuatan, dsb halus dan bersahabat
-여요 : (dalam bentuk hormat) kata penutup final yang mengungkapkan suatu kenyataan atau menyatakan pertanyaan, perintah, atau ajakan <penjabaran>

(40) 활발하다 [hwalbalhada]
aktif, dinamis
hidup dan berenergi

나는 활발한 사람이 좋아요.
naneun hwalbalhan sarami joayo.

나+는 활발하+ㄴ 사람+이 좋+아요.
　　　활발한

나 : aku
는 : partikel yang menyatakan suatu objek menjadi topik di dalam kalimat
활발하다 : aktif, dinamis
-ㄴ : akhiran yang membuat kata di depannya berfungsi sebagai kata pewatas, dan menyatakan keadaan saat ini
사람 : manusia, orang
이 : partikel yang menyatakan objek dari suatu keadaan atau kondisi atau pelaku dari suatu tindakan
좋다 : suka
-아요 : (dalam bentuk hormat) kata penutup final yang mengungkapkan suatu kenyataan atau menyatakan pertanyaan, perintah, atau ajakan <penjabaran>

(41) 게으르다 [geeureuda]
malas
sikap yang lambat, tidak suka bergerak atau bekerja

<u>게으른</u> 사람은 성공하지 못해요.

geeureun sarameun seonggonghaji motaeyo.

<u>게으르+ㄴ</u> 사람+은 <u>성공하</u>+[지 못하]+<u>여요</u>.
　게으른　　　　　　　성공하지 못해요

게으르다 : malas

-ㄴ : akhiran yang membuat kata di depannya berfungsi sebagai kata pewatas, dan menyatakan keadaan saat ini

사람 : manusia, orang

은 : partikel yang menyatakan suatu objek menjadi topik di dalam kalimat

성공하다 : berhasil, sukses

-지 못하다 : ungkapan yang menyatakan tidak mampu melakukan tindakan yang disebutkan dalam kalimat di depan atau tidak dapat terjadi seperti keinginan subjek

-여요 : (dalam bentuk hormat) kata penutup final yang mengungkapkan suatu kenyataan atau menyatakan pertanyaan, perintah, atau ajakan <penjabaran>

(42) 부지런하다 [bujireonhada]

rajin

tidak malas dan memiliki kecenderungan untuk terus rajin melakukan sesuatu

<u>부지런한</u> 사람이 성공할 수 있어요.

bujireonhan sarami seonggonghal su isseoyo.

<u>부지런하+ㄴ</u> 사람+이 <u>성공하</u>+[ㄹ 수 있]+<u>어요</u>.
　부지런한　　　　　　성공할 수 있어요

부지런하다 : rajin

-ㄴ : akhiran yang membuat kata di depannya berfungsi sebagai kata pewatas, dan menyatakan keadaan saat ini

사람 : manusia, orang

이 : partikel yang menyatakan objek dari suatu keadaan atau kondisi atau pelaku dari suatu tindakan

성공하다 : berhasil, sukses

-ㄹ 수 있다 : ungkapan yang memunculkan arti bahwa suatu tingkah laku atau keadaan mungkin untuk terjadi

-어요 : (dalam bentuk hormat) kata penutup final yang mengungkapkan suatu kenyataan atau menyatakan pertanyaan, perintah, atau ajakan <penjabaran>

(43) 착하다 [chakada]

baik hati, ramah, bersahabat

hati atau tindakan dsb cantik, santun, dan ramah

그녀는 마음씨가 <u>착해요</u>.

geunyeoneun maeumssiga chakaeyo.

그녀+는 마음씨+가 <u>착하+여요</u>.
착해요

그녀 : dia , ia (wanita)

는 : partikel yang menyatakan suatu objek menjadi topik di dalam kalimat

마음씨 : pembawaan diri

가 : partikel yang menyatakan objek dari suatu keadaan atau kondisi atau pelaku dari suatu tindakan

착하다 : baik hati, ramah, bersahabat

-여요 : (dalam bentuk hormat) kata penutup final yang mengungkapkan suatu kenyataan atau menyatakan pertanyaan, perintah, atau ajakan <penjabaran>

(44) 친절하다 [chinjeolhada]

ramah

sikap menghadapi orang lain bersahabat dan halus

가게 주인은 모든 손님에게 <u>친절해요</u>.

gage juineun modeun sonnimege chinjeolhaeyo.

가게 주인+은 모든 손님+에게 <u>친절하+여요</u>.
친절해요

가게 : toko

주인 : pemilik, tuan

은 : partikel yang menyatakan suatu objek menjadi topik di dalam kalimat

모든 : semua, seluruh

손님 : pengunjung, tamu

에게 : partikel yang menyatakan sesuatu yang mendapat pengaruh dari sebuah tindakan

친절하다 : ramah

-여요 : (dalam bentuk hormat) kata penutup final yang mengungkapkan suatu kenyataan atau menyatakan pertanyaan, perintah, atau ajakan <penjabaran>

(45) 날씬하다 [nalssinhada]

langsing, ramping

langsing dan tinggi, tubuh terlihat bagus

모델은 몸매가 날씬해요.

modereun mommaega nalssinhaeyo.

모델+은 몸매+가 날씬하+여요.
　　　　　　　　날씬해요

모델 : model, fashion model

은 : partikel yang menyatakan suatu objek menjadi topik di dalam kalimat

몸매 : postur tubuh, bentuk badan

가 : partikel yang menyatakan objek dari suatu keadaan atau kondisi atau pelaku dari suatu tindakan

날씬하다 : langsing, ramping

-여요 : (dalam bentuk hormat) kata penutup final yang mengungkapkan suatu kenyataan atau menyatakan pertanyaan, perintah, atau ajakan <penjabaran>

(46) 뚱뚱하다 [ttungttunghada]

gendut

bertambah berat badan sehingga tubuh melar dan membesar

요즘은 뚱뚱한 청소년이 많아졌어요.

yojeumeun ttungttunghan cheongsonyeoni manajeosseoyo.

요즘+은 뚱뚱하+ㄴ 청소년+이 많아지+었+어요.
　　　　뚱뚱한　　　　　　　많아졌어요

요즘 : akhir-akhir ini, belakangan ini

은 : partikel yang menyatakan suatu objek menjadi topik di dalam kalimat

뚱뚱하다 : gendut

-ㄴ : akhiran yang membuat kata di depannya berfungsi sebagai kata pewatas, dan menyatakan keadaan saat ini

청소년 : remaja

이 : partikel yang menyatakan objek dari suatu keadaan atau kondisi atau pelaku dari suatu tindakan

많아지다 : meluas, meningkat

-었- : akhiran kalimat yang menyatakan sebuah peristiwa sudah selesai di masa lampau atau menyatakan keadaan di mana hasil peristiwa tersebut terus berlangsung hingga sekarang
-어요 : (dalam bentuk hormat) kata penutup final yang mengungkapkan suatu kenyataan atau menyatakan pertanyaan, perintah, atau ajakan <penjabaran>

(47) 아름답다 [areumdapda]

indah, elok, cantik

target atau suara, warna, dsb yang terlihat menyenangkan dan memuaskan mata dan telinga

여기 경치가 무척 <u>아름다워요</u>.
yeogi gyeongchiga mucheok areumdawoyo.

여기 경치+가 무척 <u>아름답(아름다우)+어요</u>.
아름다워요

여기 : sini
경치 : pemandangan
가 : partikel yang menyatakan objek dari suatu keadaan atau kondisi atau pelaku dari suatu tindakan
무척 : sangat, benar-benar
아름답다 : indah, elok, cantik
-어요 : (dalam bentuk hormat) kata penutup final yang mengungkapkan suatu kenyataan atau menyatakan pertanyaan, perintah, atau ajakan <penjabaran>

(48) 어리다 [eorida]

muda

berusia muda

내 동생은 아직 <u>어려요</u>.
nae dongsaengeun ajik eoryeoyo.

<u>나+의</u> 동생+은 아직 <u>어리+어요</u>.
내   어려요

나 : aku
의 : partikel yang menyatakan perkataan di depan memiliki hubungan kepemilikian, bagian tempat diri bekerja, bahan, hubungan, asal, topik dengan perkataan di belakang

동생 : adik
은 : partikel yang menyatakan suatu objek menjadi topik di dalam kalimat
아직 : belum, masih
어리다 : muda
-어요 : (dalam bentuk hormat) kata penutup final yang mengungkapkan suatu kenyataan atau menyatakan pertanyaan, perintah, atau ajakan <penjabaran>

(49) 예쁘다 [yeppeuda]

cantik

sangat indah

구름이 참 예뻐요.

gureumi cham yeppeoyo.

구름+이 참 예쁘(예쁘)+어요.
예뻐요

구름 : awan
이 : partikel yang menyatakan objek dari suatu keadaan atau kondisi atau pelaku dari suatu tindakan
참 : sungguh, benar-benar
예쁘다 : cantik
-어요 : (dalam bentuk hormat) kata penutup final yang mengungkapkan suatu kenyataan atau menyatakan pertanyaan, perintah, atau ajakan <penjabaran>

(50) 젊다 [jeomda]

muda

usianya berada di masa puncak

이 회사에는 젊은 사람들이 많아요.

i hoesaeneun jeolmeun saramdeuri manayo.

이 회사+에+는 젊+은 사람+들+이 많+아요.

이 : ini, si ini
회사 : perusahaan
에 : partikel yang menyatakan kalimat di depan adalah tempat atau lokasi

는 : partikel yang menyatakan suatu objek menjadi topik di dalam kalimat

젊다 : muda

–은 : akhiran yang membuat kata di depannya berfungsi sebagai kata pewatas, dan menyatakan keadaan saat ini

사람 : manusia, orang

들 : akhiran yang menambahkan arti "jamak"

이 : partikel yang menyatakan objek dari suatu keadaan atau kondisi atau pelaku dari suatu tindakan

많다 : banyak

–아요 : (dalam bentuk hormat) kata penutup final yang mengungkapkan suatu kenyataan atau menyatakan pertanyaan, perintah, atau ajakan <penjabaran>

(51) 똑똑하다 [ttokttokada]

pintar, cerdas

berpengetahuan luas, pandai

친구는 <u>똑똑해서</u> 공부를 잘해요.

chinguneun ttokttokaeseo gongbureul jalhaeyo.

친구+는 <u>똑똑하+여서</u> 공부+를 <u>잘하+여요</u>.
　　　　 똑똑해서 　　　　　　 잘해요

친구 : teman, kawan, sahabat

는 : partikel yang menyatakan suatu objek menjadi topik di dalam kalimat

똑똑하다 : pintar, cerdas

–여서 : kata penutup sambung yang menyatakan alasan atau landasan

공부 : belajar, pembelajaran

를 : partikel yang menyatakan objek dari suatu gerakan yang secara langsung memberikan pengaruh

잘하다 : cakap, terampil, pandai, tangkas, ahli, mahir

–여요 : (dalam bentuk hormat) kata penutup final yang mengungkapkan suatu kenyataan atau menyatakan pertanyaan, perintah, atau ajakan <penjabaran>

(52) 못하다 [motada]

tidak bisa, tidak bagus

kadar atau standarnya tidak sampai pada suatu ukuran tertentu saat dibandingkan

음식 맛이 예전보다 <u>못해요</u>.

eumsik masi yejeonboda motaeyo.

음식 맛+이 예전+보다 못하+여요.
　　　　　　　　　　못해요

음식 : pangan, makanan
맛 : rasa
이 : partikel yang menyatakan objek dari suatu keadaan atau kondisi atau pelaku dari suatu tindakan
예전 : dahulu, dulu
보다 : partikel yang menyatakan sesuatu yang menjadi objek perbandingan saat membandingkan sesuatu yang memiliki perbedaan
못하다 : tidak bisa, tidak bagus
-여요 : (dalam bentuk hormat) kata penutup final yang mengungkapkan suatu kenyataan atau menyatakan pertanyaan, perintah, atau ajakan <penjabaran>

(53) 쉽다 [swipda]

mudah, gampang

tidak sulit atau susah saat melakukannya

시험 문제가 쉬웠어요.

siheom munjega swiwosseoyo.

시험 문제+가 쉽(쉬우)+었+어요.
　　　　　　쉬웠어요

시험 : ujian
문제 : soal, pertanyaan
가 : partikel yang menyatakan objek dari suatu keadaan atau kondisi atau pelaku dari suatu tindakan
쉽다 : mudah, gampang
-었- : akhiran kalimat yang menyatakan sebuah peristiwa sudah selesai di masa lampau atau menyatakan keadaan di mana hasil peristiwa tersebut terus berlangsung hingga sekarang
-어요 : (dalam bentuk hormat) kata penutup final yang mengungkapkan suatu kenyataan atau menyatakan pertanyaan, perintah, atau ajakan <penjabaran>

(54) 어렵다 [eoryeopda]

sulit, rumit

rumit atau memakan tenaga dalam melakukannya

수학 문제는 항상 <u>어려워요</u>.

suhak munjeneun hangsang eoryeowoyo.

수학 문제+는 항상 <u>어렵(어려우)+어요</u>.
어려워요

수학 : matematika
문제 : soal, pertanyaan
는 : partikel yang menyatakan suatu objek menjadi topik di dalam kalimat
항상 : selalu, kapan pun
어렵다 : sulit, rumit
-어요 : (dalam bentuk hormat) kata penutup final yang mengungkapkan suatu kenyataan atau menyatakan pertanyaan, perintah, atau ajakan <penjabaran>

(55) 훌륭하다 [hullyunghada]
luar biasa, hebat
sangat bagus dan luar biasa sampai baik untuk dipuji

이 차의 성능은 <u>훌륭해요</u>.

i chae seongneungeun hullyunghaeyo.

이 차+의 성능+은 <u>훌륭하+여요</u>.
훌륭해요

이 : ini, si ini
차 : mobil
의 : perkataan yang menyatakan perkataan di depan membatasi karakter atau kuantitas atau kualifikasi yang sama dengan perkataan yang ada di belakang
성능 : karakter, fungsi
은 : partikel yang menyatakan suatu objek menjadi topik di dalam kalimat
훌륭하다 : luar biasa, hebat
-여요 : (dalam bentuk hormat) kata penutup final yang mengungkapkan suatu kenyataan atau menyatakan pertanyaan, perintah, atau ajakan <penjabaran>

(56) 힘들다 [himdeulda]
melelahkan, memayahkan, menyusahkan, sulit, susah
memiliki sisi banyak menggunakan tenaga

이 동작은 너무 힘들어요.

i dongjageun neomu himdeureoyo.

이 동작+은 너무 힘들+어요.

이 : ini, si ini
동작 : gerakan, pergerakan
은 : partikel yang menyatakan suatu objek menjadi topik di dalam kalimat
너무 : terlalu, berlebihan
힘들다 : melelahkan, memayahkan, menyusahkan, sulit, susah
-어요 : (dalam bentuk hormat) kata penutup final yang mengungkapkan suatu kenyataan atau menyatakan pertanyaan, perintah, atau ajakan <penjabaran>

(57) 궁금하다 [gunggeumhada]

ingin tahu, melit

sangat ingin tahu sesuatu

무슨 화장품을 쓰는지 궁금해요?

museun hwajangpumeul sseuneunji gunggeumhaeyo?

무슨 화장품+을 쓰+는지 궁금하+여요?
　　　　　　　　　　　궁금해요

무슨 : apa
화장품 : kosmetik
을 : partikel yang menyatakan objek dari suatu gerakan yang secara langsung memberikan pengaruh
쓰다 : memakai, menggunakan
-는지 : kata penutup sambung yang menyatakan alasan atau penilaian yang samar tentang isi kalimat di belakang
궁금하다 : ingin tahu, melit
-여요 : (dalam bentuk hormat) kata penutup final yang mengungkapkan suatu kenyataan atau menyatakan pertanyaan, perintah, atau ajakan <pertanyaan>

(58) 옳다 [olta]

benar

sesuai dengan norma dan benar

그는 평생 옳은 삶을 살아 왔어요.

geuneun pyeongsaeng oreun salmeul sara wasseoyo.

그+는 평생 옳+은 삶+을 <u>살+[아 오]</u>+았+어요.
살아 왔어요

그 : dia, ia

는 : partikel yang menyatakan suatu objek menjadi topik di dalam kalimat

평생 : selama hidup, seumur hidup

옳다 : benar

-은 : akhiran yang membuat kata di depannya berfungsi sebagai kata pewatas, dan menyatakan keadaan saat ini

삶 : kehidupan

을 : partikel yang menyatakan objek berkata benda dari suatu predikat

살다 : hidup

-아 오다 : ungkapan yang menyatakan bahwa tindakan atau keadaan dalam kalimat yang disebutkan di depan terus berlangsung sambil terus mendekati suatu titik patokan

-았- : akhiran kalimat yang menyatakan sebuah peristiwa sudah selesai di masa lampau atau menyatakan keadaan di mana hasil peristiwa tersebut terus berlangsung hingga sekarang

-어요 : (dalam bentuk hormat) kata penutup final yang mengungkapkan suatu kenyataan atau menyatakan pertanyaan, perintah, atau ajakan <penjabaran>

(59) 바쁘다 [bappeuda]

sibuk

tidak ada keluangan untuk melakukan hal lain karena banyak hal yang harus dikerjakan, atau tidak ada waktu

식사를 못 할 정도로 바빠요.

siksareul mot hal jeongdoro bappayo.

식사+를 못 <u>하+ㄹ</u> 정도+로 <u>바쁘(바빠)</u>+아요.
할   바빠요

식사 : makan

를 : partikel yang menyatakan objek dari suatu gerakan yang secara langsung memberikan pengaruh

못 : tidak bisa, tidak mampu

하다 : melakukan, mengerjakan, menjalankan

-ㄹ : kata sambung yang membuat kata di depannya berfungsi sebagai adnominal (kata penghias)

정도 : kadar, derajat, taraf

로 : partikel yang menyatakan cara atau tata cara suatu pekerjaan

바쁘다 : sibuk

-아요 : (dalam bentuk hormat) kata penutup final yang mengungkapkan suatu kenyataan atau menyatakan pertanyaan, perintah, atau ajakan <penjabaran>

(60) 한가하다 [hangahada]

senggang, luang, leluasa, bersantai

tidak sibuk sehingga senggang

학교가 방학이어서 한가해요.

hakgyoga banghagieoseo hangahaeyo.

학교+가 방학+이+어서 한가하+여요.
한가해요

학교 : sekolah

가 : partikel yang menyatakan objek dari suatu keadaan atau kondisi atau pelaku dari suatu tindakan

방학 : liburan

이다 : partikel kasus predikatif yang menyatakan maksud menentukan karakter atau jenis dari objek yang diindikasikan subjek

-어서 : kata penutup sambung yang menyatakan alasan atau landasan

한가하다 : senggang, luang, leluasa, bersantai

-여요 : (dalam bentuk hormat) kata penutup final yang mengungkapkan suatu kenyataan atau menyatakan pertanyaan, perintah, atau ajakan <penjabaran>

(61) 달다 [dalda]

manis

rasanya sama dengan rasa madu atau gula

초콜릿이 너무 달아요.

chokollisi neomu darayo.

초콜릿+이 너무 달+아요.

초콜릿 : minuman coklat, cacao

이 : partikel yang menyatakan objek dari suatu keadaan atau kondisi atau pelaku dari suatu tindakan

너무 : terlalu, berlebihan

달다 : manis

-아요 : (dalam bentuk hormat) kata penutup final yang mengungkapkan suatu kenyataan atau menyatakan pertanyaan, perintah, atau ajakan <penjabaran>

(62) 맛없다 [madeopda]

tidak enak, tawar

rasa makanan tidak enak, hambar

배가 불러서 다 맛없어요.

baega bulleoseo da maseopseoyo.

배+가 부르(불ㄹ)+어서 다 맛없+어요.
　　　　불러서

배 : perut

가 : partikel yang menyatakan objek dari suatu keadaan atau kondisi atau pelaku dari suatu tindakan

부르다 : kenyang

-어서 : kata penutup sambung yang menyatakan alasan atau landasan

다 : semua, semuanya, seluruhnya

맛없다 : tidak enak, tawar

-어요 : (dalam bentuk hormat) kata penutup final yang mengungkapkan suatu kenyataan atau menyatakan pertanyaan, perintah, atau ajakan <penjabaran>

(63) 맛있다 [maditda]

enak, lezat

rasanya enak

어머니가 해 주신 음식이 제일 맛있어요.

eomeoniga hae jusin eumsigi jeil masisseoyo.

어머니+가 하+[여 주]+시+ㄴ 음식+이 제일 맛있+어요.
　　　　해 주신

어머니 : ibu

가 : partikel yang menyatakan objek dari suatu keadaan atau kondisi atau pelaku dari suatu tindakan

하다 : membuat, menyiapkan, menyediakan

-여 주다 : ungkapan yang menyatakan melakukan tindakan yang disebutkan dalam kalimat di depan untuk orang lain

-시- : akhiran kalimat yang menyatakan arti meninggikan subjek atau topik suatu tindakan atau keadaan

-ㄴ : akhiran yang membuat kata di depannya berfungsi sebagai kata pewatas, dan menyatakan bahwa tindakan atau peristiwa sudah selesai dan menahan keadaan itu

음식 : pangan, makanan

이 : partikel yang menyatakan objek dari suatu keadaan atau kondisi atau pelaku dari suatu tindakan

제일 : paling, ter-

맛있다 : enak, lezat

-어요 : (dalam bentuk hormat) kata penutup final yang mengungkapkan suatu kenyataan atau menyatakan pertanyaan, perintah, atau ajakan <penjabaran>

(64) 맵다 [maepda]

pedas

rasanya panas dan ada rasa seperti lidah tertusuk seperti cabai atau mustar

김치가 너무 매워요.

gimchiga neomu maewoyo.

김치+가 너무 맵(매우)+어요.
　　　　　　　　매워요

김치 : kimchi

가 : partikel yang menyatakan objek dari suatu keadaan atau kondisi atau pelaku dari suatu tindakan

너무 : terlalu, berlebihan

맵다 : pedas

-어요 : (dalam bentuk hormat) kata penutup final yang mengungkapkan suatu kenyataan atau menyatakan pertanyaan, perintah, atau ajakan <penjabaran>

(65) 시다 [sida]

kecut

rasanya seperti cuka

과일이 모두 셔요.

gwairi modu syeoyo.

과일+이 모두 <u>시+어요</u>.
                 셔요

과일 : buah
이 : partikel yang menyatakan objek dari suatu keadaan atau kondisi atau pelaku dari suatu tindakan
모두 : semua, seluruhnya
시다 : kecut
-어요 : (dalam bentuk hormat) kata penutup final yang mengungkapkan suatu kenyataan atau menyatakan pertanyaan, perintah, atau ajakan <penjabaran>

(66) 시원하다 [siwonhada]

segar, sedap

makanan sudah segar dan dingin sampai cukup enak untuk dimakan, hangat sampai hati terasa segar

국물이 <u>시원해요</u>.

gungmuri siwonhaeyo.

국물+이 <u>시원하+여요</u>.
              시원해요

국물 : kuah
이 : partikel yang menyatakan objek dari suatu keadaan atau kondisi atau pelaku dari suatu tindakan
시원하다 : segar, sedap
-여요 : (dalam bentuk hormat) kata penutup final yang mengungkapkan suatu kenyataan atau menyatakan pertanyaan, perintah, atau ajakan <penjabaran>

(67) 싱겁다 [singgeopda]

tawar

rasa makanan kurang asin

찌개에 물을 넣어서 <u>싱거워요</u>.

jjigaee mureul neoeoseo singgeowoyo.

찌개+에 물+을 넣+어서 <u>싱겁(싱거우)+어요</u>.
                          싱거워요

찌개 : cige, sup sayur
에 : partikel yang menyatakan kalimat di depan adalah objek dari efek suatu tindakan berpengaruh
물 : air
을 : partikel yang menyatakan objek dari suatu gerakan yang secara langsung memberikan pengaruh
넣다 : menyatukan, mencampurkan, memasukkan
-어서 : kata penutup sambung yang menyatakan alasan atau landasan
싱겁다 : tawar
-어요 : (dalam bentuk hormat) kata penutup final yang mengungkapkan suatu kenyataan atau menyatakan pertanyaan, perintah, atau ajakan <penjabaran>

(68) 쓰다 [sseuda]

pahit

sama dengan rasa obat

아이가 먹기에 약이 너무 써요.

aiga meokgie yagi neomu sseoyo.

아이+가 먹+기+에 약+이 너무 쓰(ㅆ)+어요.
써요

아이 : anak
가 : partikel yang menyatakan objek dari suatu keadaan atau kondisi atau pelaku dari suatu tindakan
먹다 : minum, menelan
-기 : akhiran yang membuat kata di depannya berfungsi sebagai kata benda
에 : partikel yang menyatakan kalimat di depan adalah syarat, lingkungan, keadaan, dsb sesuatu
약 : obat
이 : partikel yang menyatakan objek dari suatu keadaan atau kondisi atau pelaku dari suatu tindakan
너무 : terlalu, berlebihan
쓰다 : pahit
-어요 : (dalam bentuk hormat) kata penutup final yang mengungkapkan suatu kenyataan atau menyatakan pertanyaan, perintah, atau ajakan <penjabaran>

(69) 짜다 [jjada]

asin

rasanya sama seperti garam

소금을 많이 넣어서 국물이 <u>짜요</u>.

sogeumeul mani neoeoseo gungmuri jjayo.

소금+을 많이 넣+어서 국물+이 <u>짜+아요</u>.
짜요

소금 : garam
을 : partikel yang menyatakan objek dari suatu gerakan yang secara langsung memberikan pengaruh
많이 : dengan banyak
넣다 : menyatukan, mencampurkan, memasukkan
-어서 : kata penutup sambung yang menyatakan alasan atau landasan
국물 : kuah
이 : partikel yang menyatakan objek dari suatu keadaan atau kondisi atau pelaku dari suatu tindakan
짜다 : asin
-아요 : (dalam bentuk hormat) kata penutup final yang mengungkapkan suatu kenyataan atau menyatakan pertanyaan, perintah, atau ajakan <penjabaran>

(70) 깨끗하다 [kkaekkeutada]
bersih
benda tidak kotor

화장실이 정말 <u>깨끗해요</u>.

hwajangsiri jeongmal kkaekkeutaeyo.

화장실+이 정말 <u>깨끗하+여요</u>.
깨끗해요

화장실 : kamar kecil, WC, toilet
이 : partikel yang menyatakan objek dari suatu keadaan atau kondisi atau pelaku dari suatu tindakan
정말 : benar-benar, sungguh-sungguh
깨끗하다 : bersih
-여요 : (dalam bentuk hormat) kata penutup final yang mengungkapkan suatu kenyataan atau menyatakan pertanyaan, perintah, atau ajakan <penjabaran>

(71) 더럽다 [deoreopda]
kotor
berantakan atau tidak bersih karena ada noda atau ampas

차가 더러워서 세차를 했어요.
chaga deoreowoseo sechareul haesseoyo.

차+가 더럽(더러우)+어서 세차+를 하+였+어요.
　　　　더러워서　　　　　　　　했어요

차 : mobil
가 : partikel yang menyatakan objek dari suatu keadaan atau kondisi atau pelaku dari suatu tindakan
더럽다 : kotor
-어서 : kata penutup sambung yang menyatakan alasan atau landasan
세차 : penyucian mobil
를 : partikel yang menyatakan objek dari suatu gerakan yang secara langsung memberikan pengaruh
하다 : melakukan, mengerjakan, menjalankan
-였- : akhiran kalimat yang menyatakan sebuah peristiwa sudah selesai di masa lampau atau menyatakan keadaan di mana hasil peristiwa tersebut terus berlangsung hingga sekarang
-어요 : (dalam bentuk hormat) kata penutup final yang mengungkapkan suatu kenyataan atau menyatakan pertanyaan, perintah, atau ajakan <penjabaran>

(72) 불편하다 [bulpyeonhada]
tidak nyaman, ruwet, rumit
menggunakan atau memanfaatkan sesuatu tidak nyaman atau tidak mudah

이곳은 교통이 불편해요.
igoseun gyotongi bulpyeonhaeyo.

이곳+은 교통+이 불편하+여요.
　　　　　　　　　　불편해요

이곳 : sini
은 : partikel yang menyatakan suatu objek menjadi topik di dalam kalimat
교통 : lalu lintas
이 : partikel yang menyatakan objek dari suatu keadaan atau kondisi atau pelaku dari suatu tindakan
불편하다 : tidak nyaman, ruwet, rumit
-여요 : (dalam bentuk hormat) kata penutup final yang mengungkapkan suatu kenyataan atau menyatakan pertanyaan, perintah, atau ajakan <penjabaran>

(73) 시끄럽다 [sikkeureopda]

berisik, hingar bingar

bunyi keras dan berisik sehingga tidak enak didengar

<u>시끄러운</u> 소리가 <u>들려요</u>.

sikkeureoun soriga deullyeoyo.

<u>시끄럽</u>(<u>시끄러우</u>)+ㄴ 소리+가 <u>들리</u>+<u>어요</u>.
　　시끄러운　　　　　　　들려요

시끄럽다 : berisik, hingar bingar

-ㄴ : akhiran yang membuat kata di depannya berfungsi sebagai kata pewatas, dan menyatakan keadaan saat ini

소리 : suara

가 : partikel yang menyatakan objek dari suatu keadaan atau kondisi atau pelaku dari suatu tindakan

들리다 : terdengar, dikenali

-어요 : (dalam bentuk hormat) kata penutup final yang mengungkapkan suatu kenyataan atau menyatakan pertanyaan, perintah, atau ajakan <penjabaran>

(74) 조용하다 [joyonghada]

sunyi,sepi

tidak terdengar suara apapun

거리가 <u>조용해요</u>.

georiga joyonghaeyo.

거리+가 <u>조용하</u>+<u>여요</u>.
　　　　조용해요

거리 : jalan

가 : partikel yang menyatakan objek dari suatu keadaan atau kondisi atau pelaku dari suatu tindakan

조용하다 : sunyi,sepi

-여요 : (dalam bentuk hormat) kata penutup final yang mengungkapkan suatu kenyataan atau menyatakan pertanyaan, perintah, atau ajakan <penjabaran>

(75) 지저분하다 [jijeobunhada]

berantakan

tidak rapi

길이 너무 <u>지저분해요</u>.

giri neomu jijeobunhaeyo.

길+이 너무 <u>지저분하</u>+<u>여요</u>.
　　　　　　　지저분해요

길 : jalan
이 : partikel yang menyatakan objek dari suatu keadaan atau kondisi atau pelaku dari suatu tindakan
너무 : terlalu, berlebihan
지저분하다 : berantakan
-여요 : (dalam bentuk hormat) kata penutup final yang mengungkapkan suatu kenyataan atau menyatakan pertanyaan, perintah, atau ajakan <penjabaran>

(76) 비싸다 [bissada]

mahal

harga barang atau biaya untuk melakukan sesuatu tinggi dari yang biasa

백화점은 시장보다 가격이 <u>비싸요</u>.

baekwajeomeun sijangboda gagyeogi bissayo.

백화점+은 시장+보다 가격+이 <u>비싸</u>+<u>아요</u>.
　　　　　　　　　　　비싸요

백화점 : mal, pusat perbelanjaan
은 : partikel yang menyatakan suatu objek menjadi topik di dalam kalimat
시장 : pasar
보다 : partikel yang menyatakan sesuatu yang menjadi objek perbandingan saat membandingkan sesuatu yang memiliki perbedaan
가격 : harga
이 : partikel yang menyatakan objek dari suatu keadaan atau kondisi atau pelaku dari suatu tindakan
비싸다 : mahal
-아요 : (dalam bentuk hormat) kata penutup final yang mengungkapkan suatu kenyataan atau menyatakan pertanyaan, perintah, atau ajakan <penjabaran>

(77) 싸다 [ssada]

murah

harga barang lebih rendah dari yang biasa, harganya tidak mahal

이 동네는 집값이 <u>싸요</u>.

i dongneneun jipgapsi ssayo.

이 동네+는 집값+이 <u>싸+아요</u>.
싸요

이 : ini, si ini

동네 : kompleks, perumahan

는 : partikel yang menyatakan suatu objek menjadi topik di dalam kalimat

집값 : harga rumah

이 : partikel yang menyatakan objek dari suatu keadaan atau kondisi atau pelaku dari suatu tindakan

싸다 : murah

-아요 : (dalam bentuk hormat) kata penutup final yang mengungkapkan suatu kenyataan atau menyatakan pertanyaan, perintah, atau ajakan <penjabaran>

(78) 덥다 [deopda]

panas

suhu tinggi yang dirasakan badan

여름이 지났는데도 <u>더워요</u>.

yeoreumi jinanneundedo deowoyo.

여름+이 <u>지나+았+는데도</u> <u>덥(더우)+어요</u>.
지났는데도   더워요

여름 : musim panas

이 : partikel yang menyatakan objek dari suatu keadaan atau kondisi atau pelaku dari suatu tindakan

지나다 : lalu, lewat

-았- : akhiran kalimat yang menyatakan sebuah peristiwa sudah selesai di masa lampau atau menyatakan keadaan di mana hasil peristiwa tersebut terus berlangsung hingga sekarang

-는데도 : ungkapan yang menunjukkan munculnya kondisi di belakang tanpa ada kaitannya dengan kondisi di depannya

덥다 : panas

-어요 : (dalam bentuk hormat) kata penutup final yang mengungkapkan suatu kenyataan atau menyatakan pertanyaan, perintah, atau ajakan <penjabaran>

(79) 따뜻하다 [ttatteutada]

hangat

tidak terlalu panas, memiliki suhu cukup yang sampai membuat hati senang

날씨가 따뜻해요.

nalssiga ttatteutaeyo.

날씨+가 따뜻하+여요.
　　　　　 따뜻해요

날씨 : cuaca
가 : partikel yang menyatakan objek dari suatu keadaan atau kondisi atau pelaku dari suatu tindakan
따뜻하다 : hangat
-여요 : (dalam bentuk hormat) kata penutup final yang mengungkapkan suatu kenyataan atau menyatakan pertanyaan, perintah, atau ajakan <penjabaran>

(80) 맑다 [makda]

cerah, terang

awan atau kabut tidak menggumpal sehingga cuacanya bagus

가을 하늘은 푸르고 맑아요.

gaeul haneureun pureugo malgayo.

가을 하늘+은 푸르+고 맑+아요.

가을 : musim gugur
하늘 : langit
은 : partikel yang menyatakan suatu objek menjadi topik di dalam kalimat
푸르다 : biru
-고 : akhiran penghubung yang digunakan untuk menyusun dua atau lebih kenyataan yang setara
맑다 : cerah, terang

-아요 : (dalam bentuk hormat) kata penutup final yang mengungkapkan suatu kenyataan atau menyatakan pertanyaan, perintah, atau ajakan <penjabaran>

(81) 선선하다 [seonseonhada]
sejuk

lembut dan segar sampai menimbulkan sedikit perasaan dingin

이제 아침저녁으로 선선해요.
ije achimjeonyeogeuro seonseonhaeyo.

이제 아침저녁+으로 선선하+여요.
선선해요

이제 : sekarang, baru saat ini
아침저녁 : pagi malam
으로 : partikel yang menyatakan waktu
선선하다 : sejuk
-여요 : (dalam bentuk hormat) kata penutup final yang mengungkapkan suatu kenyataan atau menyatakan pertanyaan, perintah, atau ajakan <penjabaran>

(82) 쌀쌀하다 [ssalssalhada]
dingin

udaranya dingin hingga terasa agak dingin

바람이 꽤 쌀쌀해요.
barami kkwae ssalssalhaeyo.

바람+이 꽤 쌀쌀하+여요.
쌀쌀해요

바람 : angin
이 : partikel yang menyatakan objek dari suatu keadaan atau kondisi atau pelaku dari suatu tindakan
꽤 : cukup
쌀쌀하다 : dingin
-여요 : (dalam bentuk hormat) kata penutup final yang mengungkapkan suatu kenyataan atau menyatakan pertanyaan, perintah, atau ajakan <penjabaran>

(83) 춥다 [chupda]

dingin

rendah suhu di udara

날이 <u>추우니</u> 따뜻하게 입으세요.

nari chuuni ttatteutage ibeuseyo.

날+이 <u>춥(추우)+니</u> 따뜻하+게 입+으세요.
        추우니

날 : hawa

이 : partikel yang menyatakan objek dari suatu keadaan atau kondisi atau pelaku dari suatu tindakan

춥다 : dingin

-니 : akhiran kalimat penyambung yang menyatakan bahwa kalimat di depan menjadi alasan, dasar, atau premis dari kalimat di belakang

따뜻하다 : hangat

-게 : kata penutup sambung yang menyatakan isi kalimat di depan dibutuhkan sementara kalimat di belakang terus dilanjutkan(formal, kedudukan penerima sangat rendah)

입다 : memakai, mengenakan

-으세요 : (dalam bentuk hormat) kata penutup final yang menyatakan arti penjelasan, pertanyaan, perintah, permintaan, dsb <perintah>

(84) 흐리다 [heurida]

berkabut, mendung

cuaca yang tidak cerah karena berawan atau berkabut

안개 때문에 <u>흐려서</u> 앞이 안 보여요.

angae ttaemune heuryeoseo api an boyeoyo.

안개 때문+에 <u>흐리+어서</u> 앞+이 안 <u>보이+어요</u>.
        흐려서   보여요

안개 : kabut

때문 : karena, sebab, akibat

에 : partikel yang menyatakan kalimat di depan adalah penyebab suatu peristiwa

흐리다 : berkabut, mendung

-어서 : kata penutup sambung yang menyatakan alasan atau landasan

앞 ： depan

이 ： partikel yang menyatakan objek dari suatu keadaan atau kondisi atau pelaku dari suatu tindakan

안 ： tidak

보이다 ： kelihatan

-어요 ： (dalam bentuk hormat) kata penutup final yang mengungkapkan suatu kenyataan atau menyatakan pertanyaan, perintah, atau ajakan <penjabaran>

(85) 가늘다 [ganeulda]

tipis, ramping, sedikit

lebar objek sempit atau besarnya tipis dan panjang

저는 손가락이 <u>가늘어요</u>.

jeoneun songaragi ganeureoyo.

저+는 손가락+이 가늘+어요.

저 ： saya

는 ： partikel yang menyatakan suatu objek menjadi topik di dalam kalimat

손가락 ： jari-jari tangan

이 ： partikel yang menyatakan objek dari suatu keadaan atau kondisi atau pelaku dari suatu tindakan

가늘다 ： tipis, ramping, sedikit

-어요 ： (dalam bentuk hormat) kata penutup final yang mengungkapkan suatu kenyataan atau menyatakan pertanyaan, perintah, atau ajakan <penjabaran>

(86) 같다 [gatda]

sama, serupa

tidak saling berlainan

저는 여동생과 키가 <u>같아요</u>.

jeoneun yeodongsaenggwa kiga gatayo.

저+는 여동생+과 키+가 같+아요.

저 ： saya

는 ： partikel yang menyatakan suatu objek menjadi topik di dalam kalimat

여동생 ： adik perempuan

과 ： partikel yang menyatakan objek perbandingan atau objek yang menjadi patokan

키 : tinggi badan

가 : partikel yang menyatakan objek dari suatu keadaan atau kondisi atau pelaku dari suatu tindakan

같다 : sama, serupa

-아요 : (dalam bentuk hormat) kata penutup final yang mengungkapkan suatu kenyataan atau menyatakan pertanyaan, perintah, atau ajakan <penjabaran>

(87) 굵다 [gukda]

tebal

berjalak lebih besar antara permukaan yang berlawanan jika dibandingkan dengan benda lain yang sejenis

저는 허리가 <u>굵어요</u>.

jeoneun heoriga gulgeoyo.

저+는 허리+가 굵+어요.

저 : saya

는 : partikel yang menyatakan suatu objek menjadi topik di dalam kalimat

허리 : pinggang

가 : partikel yang menyatakan objek dari suatu keadaan atau kondisi atau pelaku dari suatu tindakan

굵다 : tebal

-어요 : (dalam bentuk hormat) kata penutup final yang mengungkapkan suatu kenyataan atau menyatakan pertanyaan, perintah, atau ajakan <penjabaran>

(88) 길다 [gilda]

panjang

ujung satu benda sampai pada ujung satunya saling berada jauh, atau sangat berjauhan

치마 길이가 <u>길어요</u>.

chima giriga gireoyo.

치마 길이+가 길+어요.

치마 : rok

길이 : panjang

가 : partikel yang menyatakan objek dari suatu keadaan atau kondisi atau pelaku dari suatu tindakan

길다 : panjang

-어요 : (dalam bentuk hormat) kata penutup final yang mengungkapkan suatu kenyataan atau menyatakan pertanyaan, perintah, atau ajakan <penjabaran>

(89) 깊다 [gipda]

dalam

jarak dari atas sampai dasar atau dari luar sampai dalam jauh

물이 <u>깊으니</u> 들어가지 마세요.

muri gipeuni deureogaji maseyo.

물+이 깊+으니 <u>들어가+[지 말(마)]+세요</u>.
들어가지 마세요

물 : sungai, danau, laut

이 : partikel yang menyatakan objek dari suatu keadaan atau kondisi atau pelaku dari suatu tindakan

깊다 : dalam

-으니 : kata penutup sambung yang menyatakan bahwa kalimat di depan menjadi alasan, dasar, atau premis dari kalimat di belakang

들어가다 : masuk

-지 말다 : ungkapan yang menyatakan menjadikan tidak dapat melakukan tindakan dalam kalimat yang disebutkan di depan

-세요 : (dalam bentuk hormat) akhiran kalimat penutup yang menyatakan arti penjelasan, pertanyaan, perintah, permintaan, dsb <perintah>

(90) 낮다 [natda]

rendah

memiliki panjang yang pendek dari atas sampai bawah

저는 굽이 낮은 구두를 즐겨 신어요.

jeoneun gubi najeun gudureul jeulgyeo sineoyo.

저+는 굽+이 낮+은 구두+를 <u>즐기+어</u> 신+어요.
즐겨

저 : saya

는 : partikel yang menyatakan suatu objek menjadi topik di dalam kalimat

굽 : hak

이 : partikel yang menyatakan objek dari suatu keadaan atau kondisi atau pelaku dari suatu tindakan

낮다 : rendah

-은 : akhiran yang membuat kata di depannya berfungsi sebagai kata pewatas, dan menyatakan keadaan saat ini

구두 : sepatu

를 : partikel yang menyatakan objek dari suatu gerakan yang secara langsung memberikan pengaruh

즐기다 : sering melakukan sesuatu karena suka

-어 : akhiran penghubung untuk menyatakan bahwa anak kalimat terjadi lebih dahulu daripada kalimat induk atau menjadi cara atau alat terhadap kalimat induk

신다 : memakai, mengenakan

-어요 : (dalam bentuk hormat) kata penutup final yang mengungkapkan suatu kenyataan atau menyatakan pertanyaan, perintah, atau ajakan <penjabaran>

(91) 넓다 [neolda]

luas, lapang

luas permukaan atau lantai dsb besar

넓은 이마를 가리려고 앞머리를 내렸어요.

neolbeun imareul gariryeogo ammeorireul naeryeosseoyo.

넓+은 이마+를 가리+려고 앞머리+를 내리+었+어요.

내렸어요

넓다 : luas, lapang

-은 : akhiran yang membuat kata di depannya berfungsi sebagai kata pewatas, dan menyatakan keadaan saat ini

이마 : dahi

를 : partikel yang menyatakan objek dari suatu gerakan yang secara langsung memberikan pengaruh

가리다 : menutupi, menyembunyikan

-려고 : akhiran penghubung untuk menyatakan memiliki maksud atau hasrat untuk melakukan suatu tindakan

앞머리 : poni

를 : partikel yang menyatakan objek dari suatu gerakan yang secara langsung memberikan pengaruh

내리다 : menurunkan

-었- : akhiran kalimat yang menyatakan sebuah peristiwa sudah selesai di masa lampau atau menyatakan keadaan di mana hasil peristiwa tersebut terus berlangsung hingga sekarang

-어요 : (dalam bentuk hormat) kata penutup final yang mengungkapkan suatu kenyataan atau menyatakan pertanyaan, perintah, atau ajakan <penjabaran>

(92) 높다 [nopda]

tinggi

panjang sesuatu dari bawah sampai atas

서울에는 높은 빌딩이 많아요.

seoureneun nopeun bildingi manayo.

서울+에+는 높+은 빌딩+이 많+아요.

서울 : Seoul

에 : partikel yang menyatakan kalimat di depan adalah tempat atau lokasi

는 : partikel yang menyatakan suatu objek menjadi topik di dalam kalimat

높다 : tinggi

-은 : akhiran yang membuat kata di depannya berfungsi sebagai kata pewatas, dan menyatakan keadaan saat ini

빌딩 : gedung

이 : partikel yang menyatakan objek dari suatu keadaan atau kondisi atau pelaku dari suatu tindakan

많다 : banyak

-아요 : (dalam bentuk hormat) kata penutup final yang mengungkapkan suatu kenyataan atau menyatakan pertanyaan, perintah, atau ajakan <penjabaran>

(93) 다르다 [dareuda]

beda, berbeda

dua benda saling berbeda

저는 언니와 성격이 많이 달라요.

jeoneun eonniwa seonggyeogi mani dallayo.

저+는 언니+와 성격+이 많이 다르(달ㄹ)+아요.
                          달라요

저 : saya

는 : partikel yang menyatakan suatu objek menjadi topik di dalam kalimat

언니 : kakak perempuan

와 : partikel yang menyatakan objek perbandingan atau objek yang menjadi patokan

성격 : sifat, karakter, watak

이 : partikel yang menyatakan objek dari suatu keadaan atau kondisi atau pelaku dari suatu tindakan

많이 : dengan banyak

다르다 : beda, berbeda

-아요 : (dalam bentuk hormat) kata penutup final yang mengungkapkan suatu kenyataan atau menyatakan pertanyaan, perintah, atau ajakan <penjabaran>

(94) 닮다 [damda]

mirip, serupa

orang atau benda yang lebih dari dua saling memiliki penampilan atau karakter yang mirip

저는 언니와 안 닮았어요.

jeoneun eonniwa an dalmasseoyo.

저+는 언니+와 안 닮+았+어요.

저 : saya

는 : partikel yang menyatakan suatu objek menjadi topik di dalam kalimat

언니 : kakak perempuan

와 : partikel yang menyatakan objek perbandingan atau objek yang menjadi patokan

안 : tidak

닮다 : mirip, serupa

-았- : akhiran kalimat yang menyatakan sebuah peristiwa sudah selesai di masa lampau atau menyatakan keadaan di mana hasil peristiwa tersebut terus berlangsung hingga sekarang

-어요 : (dalam bentuk hormat) kata penutup final yang mengungkapkan suatu kenyataan atau menyatakan pertanyaan, perintah, atau ajakan <penjabaran>

(95) 두껍다 [dukkeopda]

tebal

jarak dua permukaan datar pada suatu benda panjang

고기를 두껍게 썰어서 잘 안 익어요.

gogireul dukkeopge sseoreoseo jal an igeoyo.

고기+를 두껍+게 썰+어서 잘 안 익+어요.

고기 : daging

를 : partikel yang menyatakan objek dari suatu gerakan yang secara langsung memberikan pengaruh

두껍다 : tebal

-게 : kata penutup sambung yang menyatakan isi kalimat di depan dibutuhkan sementara kalimat di belakang terus dilanjutkan(formal, kedudukan penerima sangat rendah)

썰다 : mengiris, memotong

-어서 : kata penutup sambung yang menyatakan alasan atau landasan

잘 : dengan baik/tepat/pas

안 : tidak

익다 : matang

-어요 : (dalam bentuk hormat) kata penutup final yang mengungkapkan suatu kenyataan atau menyatakan pertanyaan, perintah, atau ajakan <penjabaran>

(96) 똑같다 [ttokgatda]

sama, serupa

bentuk, karakter, jumlah, dsb sama tidak ada bedanya dengan yang lain

저와 똑같은 이름을 가진 사람들이 많아요.

jeowa ttokgateun ireumeul gajin saramdeuri manayo.

저+와 똑같+은 이름+을 <u>가지+ㄴ</u> 사람+들+이 많+아요.
가진

저 : saya

와 : partikel yang menyatakan objek perbandingan atau objek yang menjadi patokan

똑같다 : sama, serupa

-은 : akhiran yang membuat kata di depannya berfungsi sebagai kata pewatas, dan menyatakan keadaan saat ini

이름 : nama, nama diri

을 : partikel yang menyatakan objek dari suatu gerakan yang secara langsung memberikan pengaruh

가지다 : memiliki, mempunyai

-ㄴ : akhiran yang membuat kata di depannya berfungsi sebagai kata pewatas, dan menyatakan bahwa tindakan atau peristiwa sudah selesai dan menahan keadaan itu

사람 : manusia, orang

들 : akhiran yang menambahkan arti "jamak"

이 : partikel yang menyatakan objek dari suatu keadaan atau kondisi atau pelaku dari suatu tindakan

많다 : banyak

-아요 : (dalam bentuk hormat) kata penutup final yang mengungkapkan suatu kenyataan atau menyatakan pertanyaan, perintah, atau ajakan <penjabaran>

(97) 멋있다 [meoditda]

menakjubkan, keren, megah, luar biasa, menarik

sangat baik, sangat bagus

새로 산 옷인데 <u>멋있어요</u>?

saero san osinde meosisseoyo?

새로 <u>사+ㄴ</u> 옷+이+ㄴ데 멋있+어요?
　　　산　　　옷인데

새로 : baru
사다 : membeli
-ㄴ : akhiran yang membuat kata di depannya berfungsi sebagai kata pewatas, dan menyatakan bahwa tindakan atau peristiwa sudah selesai dan menahan keadaan itu
옷 : baju, pakaian
이다 : partikel kasus predikatif yang menyatakan maksud menentukan karakter atau jenis dari objek yang diindikasikan subjek
-ㄴ데 : akhiran penghubung untuk mengatakan terlebih dahulu keadaan yang berhubungan sebelum mengatakan kalimat yang berhubungan
멋있다 : menakjubkan, keren, megah, luar biasa, menarik
-어요 : (dalam bentuk hormat) kata penutup final yang mengungkapkan suatu kenyataan atau menyatakan pertanyaan, perintah, atau ajakan <pertanyaan>

(98) 비슷하다 [biseutada]

mirip, menyerupai

walaupun besar, bentuk, keadaan, karakter, dsb dua atau lebih benda tidak sama tetapi mirip di banyak bagian

학교 건물이 모두 <u>비슷해요</u>.

hakgyo geonmuri modu biseutaeyo.

학교 건물+이 모두 <u>비슷하+여요</u>.
　　　　　　　　비슷해요

학교 : sekolah
건물 : gedung, bangunan
이 : partikel yang menyatakan objek dari suatu keadaan atau kondisi atau pelaku dari suatu tindakan

모두 : semua, seluruhnya

비슷하다 : mirip, menyerupai

-여요 : (dalam bentuk hormat) kata penutup final yang mengungkapkan suatu kenyataan atau menyatakan pertanyaan, perintah, atau ajakan <penjabaran>

(99) 얇다 [yalda]

tipis

ketebalan tidak banyak

얇은 옷을 입고 나와서 좀 추워요.

yalbeun oseul ipgo nawaseo jom chuwoyo.

얇+은 옷+을 입+고 나오+아서 좀 춥(추우)+어요.
　　　　　　　　　　 나와서　　　　　 추워요

얇다 : tipis

-은 : 앞의 말이 관형어의 기능을 하게 만들고 현재의 상태를 나타내는 어미.
akhiran yang membuat kata di depannya berfungsi sebagai kata pewatas, dan menyatakan keadaan saat ini

옷 : baju, pakaian

을 : partikel yang menyatakan objek dari suatu gerakan yang secara langsung memberikan pengaruh

입다 : memakai, mengenakan

-고 : akhiran penghubung yang menyatakan bahwa tindakan atau hasil di kalimat depan terus berjalan selama tindakan di kalimat belakang terjadi.

나오다 : keluar

-아서 : kata penutup sambung yang menyatakan alasan atau landasan

좀 : agak, sedikit

춥다 : dingin

-어요 : (dalam bentuk hormat) kata penutup final yang mengungkapkan suatu kenyataan atau menyatakan pertanyaan, perintah, atau ajakan <penjabaran>

(100) 작다 [jakda]

kecil

panjang, luas, tebal, dsb kurang dari pada yang lain atau yang biasa

언니는 키가 저보다 <u>작아요</u>.
eonnineun kiga jeoboda jagayo.

언니+는 키+가 저+보다 작+아요.

언니 : kakak perempuan
는 : partikel yang menyatakan suatu objek menjadi topik di dalam kalimat
키 : tinggi badan
가 : partikel yang menyatakan objek dari suatu keadaan atau kondisi atau pelaku dari suatu tindakan
저 : saya
보다 : partikel yang menyatakan sesuatu yang menjadi objek perbandingan saat membandingkan sesuatu yang memiliki perbedaan
작다 : kecil
-아요 : (dalam bentuk hormat) kata penutup final yang mengungkapkan suatu kenyataan atau menyatakan pertanyaan, perintah, atau ajakan <penjabaran>

(101) 좁다 [jopda]

sempit, kecil

luas permukaan atau lantai dsb kecil

여기는 주차장이 <u>좁아요</u>.
yeogineun juchajangi jobayo.

여기+는 주차장+이 좁+아요.

여기 : sini
는 : partikel yang menyatakan suatu objek menjadi topik di dalam kalimat
주차장 : tempat parkir
이 : partikel yang menyatakan objek dari suatu keadaan atau kondisi atau pelaku dari suatu tindakan
좁다 : sempit, kecil
-아요 : (dalam bentuk hormat) kata penutup final yang mengungkapkan suatu kenyataan atau menyatakan pertanyaan, perintah, atau ajakan <penjabaran>

(102) 짧다 [jjalda]

pendek

dekatnya jarak antara sebelah ujung objek yang satu dengan ujung yang lain

긴 머리를 짧게 잘랐어요.

gin meorireul jjalge jallasseoyo.

길(기)+ㄴ 머리+를 짧+게 자르(잘ㄹ)+았+어요.
　　긴　　　　　　　　　　　　잘랐어요

길다 : panjang

-ㄴ : akhiran yang membuat kata di depannya berfungsi sebagai kata pewatas, dan menyatakan keadaan saat ini

머리 : rambut

를 : partikel yang menyatakan objek dari suatu gerakan yang secara langsung memberikan pengaruh

짧다 : pendek

-게 : kata penutup sambung yang menyatakan isi kalimat di depan dibutuhkan sementara kalimat di belakang terus dilanjutkan(formal, kedudukan penerima sangat rendah)

자르다 :

-았- : akhiran kalimat yang menyatakan sebuah peristiwa sudah selesai di masa lampau atau menyatakan keadaan di mana hasil peristiwa tersebut terus berlangsung hingga sekarang

-어요 : (dalam bentuk hormat) kata penutup final yang mengungkapkan suatu kenyataan atau menyatakan pertanyaan, perintah, atau ajakan <penjabaran>

(103) 크다 [keuda]

besar

panjang, lebar, tinggi, volume, dsb melebihi biasanya

피자가 생각보다 훨씬 커요.

pijaga saenggakboda hwolssin keoyo.

피자+가 생각+보다 훨씬 크(ㅋ)+어요.
　　　　　　　　　　　커요

피자 : pizza

가 : partikel yang menyatakan objek dari suatu keadaan atau kondisi atau pelaku dari suatu tindakan

생각 : khayalan, imajinasi

보다 : partikel yang menyatakan sesuatu yang menjadi objek perbandingan saat membandingkan sesuatu yang memiliki perbedaan

훨씬 : jauh lebih

크다 : besar

-어요 : (dalam bentuk hormat) kata penutup final yang mengungkapkan suatu kenyataan atau menyatakan pertanyaan, perintah, atau ajakan <penjabaran>

(104) 화려하다 [hwaryeohada]

mencolok, nyentrik

dilihat bagus karena cantik dan indah dan bersinar dengan terang

방 안을 화려하게 꾸몄어요.

bang aneul hwaryeohage kkumyeosseoyo.

방 안+을 화려하+게 꾸미+었+어요.
꾸몄어요

방 : ruang, kamar
안 : dalam
을 : partikel yang menyatakan objek dari suatu gerakan yang secara langsung memberikan pengaruh
화려하다 : mencolok, nyentrik
-게 : kata penutup sambung yang menyatakan isi kalimat di depan dibutuhkan sementara kalimat di belakang terus dilanjutkan(formal, kedudukan penerima sangat rendah)
꾸미다 : mempercantik, menata, menghiasi
-었- : akhiran kalimat yang menyatakan sebuah peristiwa sudah selesai di masa lampau atau menyatakan keadaan di mana hasil peristiwa tersebut terus berlangsung hingga sekarang
-어요 : (dalam bentuk hormat) kata penutup final yang mengungkapkan suatu kenyataan atau menyatakan pertanyaan, perintah, atau ajakan <penjabaran>

(105) 가볍다 [gabyeopda]

ringan

tingkat agak berat

이 노트북은 아주 가벼워요.

i noteubugeun aju gabyeowoyo.

이 노트북+은 아주 가볍(가벼우)+어요.
가벼워요

이 : ini, si ini
노트북 : notebook
은 : partikel yang menyatakan suatu objek menjadi topik di dalam kalimat
아주 : sangat
가볍다 : ringan

-어요 : (dalam bentuk hormat) kata penutup final yang mengungkapkan suatu kenyataan atau menyatakan pertanyaan, perintah, atau ajakan <penjabaran>

(106) 강하다 [ganghada]
kuat

tenaganya kuat

오늘은 바람이 강하게 불고 있어요.

oneureun barami ganghage bulgo isseoyo.

오늘+은 바람+이 강하+게 불+[고 있]+어요.

오늘 : hari ini

은 : partikel yang menyatakan suatu objek menjadi topik di dalam kalimat

바람 : angin

이 : partikel yang menyatakan objek dari suatu keadaan atau kondisi atau pelaku dari suatu tindakan

강하다 : kuat

-게 : kata penutup sambung yang menyatakan isi kalimat di depan dibutuhkan sementara kalimat di belakang terus dilanjutkan(formal, kedudukan penerima sangat rendah)

불다 : bertiup

-고 있다 : ungkapan yang menyatakan bahwa tindakan yang disebutkan dalam kalimat di depan terus berjalan

-어요 : (dalam bentuk hormat) kata penutup final yang mengungkapkan suatu kenyataan atau menyatakan pertanyaan, perintah, atau ajakan <penjabaran>

(107) 무겁다 [mugeopda]
berat

bobotnya berat

저는 보기보다 무거워요.

jeoneun bogiboda mugeowoyo.

저+는 보+기+보다 무겁(무거우)+어요.
무거워요

저 : saya

는 : partikel yang menyatakan suatu objek menjadi topik di dalam kalimat

보다 : melihat

-기 : akhiran yang membuat kata di depannya berfungsi sebagai kata benda

보다 : partikel yang menyatakan sesuatu yang menjadi objek perbandingan saat membandingkan sesuatu yang memiliki perbedaan

무겁다 : berat

-어요 : (dalam bentuk hormat) kata penutup final yang mengungkapkan suatu kenyataan atau menyatakan pertanyaan, perintah, atau ajakan <penjabaran>

(108) 부드럽다 [budeureopda]

halus, lembut

rasa yang menyentuh di kulit tidak kasar atau kaku tetapi lembut atau halus

이 운동화는 가볍고 안쪽이 <u>부드러워요</u>.

i undonghwaneun gabyeopgo anjjogi budeureowoyo.

이 운동화+는 가볍+고 안쪽+이 <u>부드럽(부드러우)+어요</u>.
부드러워요

이 : ini, si ini

운동화 : sepatu olahraga, sepatu kets

는 : partikel yang menyatakan suatu objek menjadi topik di dalam kalimat

가볍다 : ringan

-고 : akhiran penghubung yang digunakan untuk menyusun dua atau lebih kenyataan yang setara

안쪽 : bagian dalam, sisi dalam, sebelah dalam

이 : partikel yang menyatakan objek dari suatu keadaan atau kondisi atau pelaku dari suatu tindakan

부드럽다 : halus, lembut

-어요 : (dalam bentuk hormat) kata penutup final yang mengungkapkan suatu kenyataan atau menyatakan pertanyaan, perintah, atau ajakan <penjabaran>

(109) 새롭다 [saeropda]

baru, berbeda

tidak pernah ada sebelumnya

요즘 <u>새로운</u> 취미가 생겼어요?

yojeum saeroun chwimiga saenggyeosseoyo?

요즘 <u>새롭(새로우)+ㄴ</u> 취미+가 <u>생기+었+어요</u>?
　　　 새로운　　　　　　　　 생겼어요

요즘 : akhir-akhir ini, belakangan ini
새롭다 : baru, berbeda
-ㄴ : akhiran yang membuat kata di depannya berfungsi sebagai kata pewatas, dan menyatakan keadaan saat ini
취미 : hobi
가 : partikel yang menyatakan objek dari suatu keadaan atau kondisi atau pelaku dari suatu tindakan
생기다 : muncul, timbul
-었- : akhiran kalimat yang menyatakan sebuah peristiwa sudah selesai di masa lampau atau menyatakan keadaan di mana hasil peristiwa tersebut terus berlangsung hingga sekarang
-어요 : (dalam bentuk hormat) kata penutup final yang mengungkapkan suatu kenyataan atau menyatakan pertanyaan, perintah, atau ajakan <pertanyaan>

(110) 느리다 [neurida]

lambat

waktu panjang yang diperlukan untuk melakukan suatu tindakan

저는 걸음이 <u>느려요</u>.
jeoneun georeumi neuryeoyo.

저+는 걸음+이 <u>느리+어요</u>.
　　　　　　　　 느려요

저 : saya
는 : partikel yang menyatakan suatu objek menjadi topik di dalam kalimat
걸음 : langkah kaki
이 : partikel yang menyatakan objek dari suatu keadaan atau kondisi atau pelaku dari suatu tindakan
느리다 : lambat
-어요 : (dalam bentuk hormat) kata penutup final yang mengungkapkan suatu kenyataan atau menyatakan pertanyaan, perintah, atau ajakan <penjabaran>

(111) 빠르다 [ppareuda]

cepat

waktu pendek untuk melakukan suatu gerakan

제 친구는 말이 너무 <u>빨라요</u>.

je chinguneun mari neomu ppallayo.

<u>저+의</u> 친구+는 말+이 너무 <u>빠르(빨ㄹ)+아요</u>.
　제　　　　　　　　　　　　　　　빨라요

저 : saya

의 : partikel yang menyatakan perkataan di depan memiliki hubungan kepemilikian, bagian tempat diri bekerja, bahan, hubungan, asal, topik dengan perkataan di belakang

친구 : teman, kawan, sahabat

는 : partikel yang menyatakan suatu objek menjadi topik di dalam kalimat

말 : perkataan, kata-kata

이 : partikel yang menyatakan objek dari suatu keadaan atau kondisi atau pelaku dari suatu tindakan

너무 : terlalu, berlebihan

빠르다 : cepat

-아요 : (dalam bentuk hormat) kata penutup final yang mengungkapkan suatu kenyataan atau menyatakan pertanyaan, perintah, atau ajakan <penjabaran>

(112) 뜨겁다 [tteugeopda]

panas

suhu sesuatu tinggi

국물이 <u>뜨거우니</u> 조심하세요.

gungmuri tteugeouni josimhaseyo.

국물+이 <u>뜨겁(뜨거우)+니</u> 조심하+세요.
　　　　　뜨거우니

국물 : kuah

이 : partikel yang menyatakan objek dari suatu keadaan atau kondisi atau pelaku dari suatu tindakan

뜨겁다 : panas

-니 : akhiran kalimat penyambung yang menyatakan bahwa kalimat di depan menjadi alasan, dasar, atau premis dari kalimat di belakang

조심하다 : berhati-hati

-세요 : (dalam bentuk hormat) akhiran kalimat penutup yang menyatakan arti penjelasan, pertanyaan, perintah, permintaan, dsb <perintah>

(113) 차갑다 [chagapda]

dingin

perasaannya dingin saat tersentuh kulit

이 물은 차갑지 않아요.

i mureun chagapji anayo.

이 물+은 차갑+[지 않]+아요.

이 : ini, si ini

물 : air

은 : partikel yang menyatakan suatu objek menjadi topik di dalam kalimat

차갑다 : dingin

-지 않다 : ungkapan yang menyatakan arti menidakkan tindakan atau keadaan dalam kalimat yang disebutkan di depan

-아요 : (dalam bentuk hormat) kata penutup final yang mengungkapkan suatu kenyataan atau menyatakan pertanyaan, perintah, atau ajakan <penjabaran>

(114) 차다 [chada]

dingin

suhunya rendah sehingga tidak terasa hangat

저는 손이 찬 편이에요.

jeoneun soni chan pyeonieyo.

저+는 손+이 차+[ㄴ 편이]+에요.
　　　　　　　찬 편이에요

저 : saya

는 : partikel yang menyatakan suatu objek menjadi topik di dalam kalimat

손 : tangan

이 : partikel yang menyatakan objek dari suatu keadaan atau kondisi atau pelaku dari suatu tindakan

차다 : dingin

-ㄴ 편이다 : ungkapan yang digunakan untuk mengucapkan suatu kenyataan tidak dengan cara konklusif, tetapi dengan mengatakan lebih dekat atau termasuk ke satu pihak

-에요 : (dalam bentuk hormat) kata penutup final yang mengungkapkan suatu kenyataan atau menyatakan pertanyaan, perintah, atau ajakan <penjabaran>

(115) 밝다 [bakda]

terang, bersinar

cahaya yang dihasilkan suatu benda terang

조명이 너무 <u>밝아서</u> 눈이 부셔요.

jomyeongi neomu balgaseo nuni busyeoyo.

조명+이 너무 밝+아서 눈+이 <u>부시+어요</u>.
부셔요

조명 : penerangan
이 : partikel yang menyatakan objek dari suatu keadaan atau kondisi atau pelaku dari suatu tindakan
너무 : terlalu, berlebihan
밝다 : terang, bersinar
-아서 : kata penutup sambung yang menyatakan alasan atau landasan
눈 : mata
이 : partikel yang menyatakan objek dari suatu keadaan atau kondisi atau pelaku dari suatu tindakan
부시다 : silau, menyilaukan
-어요 : (dalam bentuk hormat) kata penutup final yang mengungkapkan suatu kenyataan atau menyatakan pertanyaan, perintah, atau ajakan <penjabaran>

(116) 어둡다 [eodupda]

gelap

tidak bersinar atau bersinar lemah sehingga tidak terang

해가 져서 밖이 <u>어두워요</u>.

haega jeoseo bakki eoduwoyo.

해+가 <u>지+어서</u> 밖+이 <u>어둡(어두우)+어요</u>.
져서   어두워요

해 : matahari
가 : partikel yang menyatakan objek dari suatu keadaan atau kondisi atau pelaku dari suatu tindakan
지다 : terbenam, tenggelam
-어서 : kata penutup sambung yang menyatakan alasan atau landasan
밖 : luar
이 : partikel yang menyatakan objek dari suatu keadaan atau kondisi atau pelaku dari suatu tindakan

어둡다 : gelap

-어요 : (dalam bentuk hormat) kata penutup final yang mengungkapkan suatu kenyataan atau menyatakan pertanyaan, perintah, atau ajakan <penjabaran>

(117) 까맣다 [kkamata]

hitam

hitam dengan pekat seperti warna langit di malam hari yang tidak bercahaya sama sekali

머리를 <u>까맣게</u> 염색했어요.

meorireul kkamake yeomsaekaesseoyo.

머리+를 까맣+게 <u>염색하+였+어요</u>.
                    염색했어요

머리 : rambut

를 : partikel yang menyatakan objek dari suatu gerakan yang secara langsung memberikan pengaruh

까맣다 : hitam

-게 : kata penutup sambung yang menyatakan isi kalimat di depan dibutuhkan sementara kalimat di belakang terus dilanjutkan(formal, kedudukan penerima sangat rendah)

염색하다 : mewarnai

-였- : akhiran kalimat yang menyatakan sebuah peristiwa sudah selesai di masa lampau atau menyatakan keadaan di mana hasil peristiwa tersebut terus berlangsung hingga sekarang

-어요 : (dalam bentuk hormat) kata penutup final yang mengungkapkan suatu kenyataan atau menyatakan pertanyaan, perintah, atau ajakan <penjabaran>

(118) 검다 [geomda]

hitam, gelap, pekat

gelap dan pekat bersama dengan awan malam yang tidak berwarna dan bersinar

햇볕에 살이 <u>검게</u> 탔어요.

haetbyeote sari geomge tasseoyo.

햇볕+에 살+이 검+게 <u>타+았+어요</u>.
                    탔어요

햇볕 : sinar matahari

에 : partikel yang menyatakan kalimat di depan adalah penyebab suatu peristiwa

살 : kulit

이 : partikel yang menyatakan objek dari suatu keadaan atau kondisi atau pelaku dari suatu tindakan

검다 : hitam, gelap, pekat

-게 : kata penutup sambung yang menyatakan isi kalimat di depan dibutuhkan sementara kalimat di belakang terus dilanjutkan(formal, kedudukan penerima sangat rendah)

타다 : terbakar

-았- : akhiran kalimat yang menyatakan sebuah peristiwa sudah selesai di masa lampau atau menyatakan keadaan di mana hasil peristiwa tersebut terus berlangsung hingga sekarang

-어요 : (dalam bentuk hormat) kata penutup final yang mengungkapkan suatu kenyataan atau menyatakan pertanyaan, perintah, atau ajakan <penjabaran>

(119) 노랗다 [norata]

warna kuning, kuning

warna seperti warna pisang atau lemon

저 사람은 머리 색깔이 노래요.

jeo sarameun meori saekkkari noraeyo.

저 사람+은 머리 색깔+이 노랗+아요.
노래요

저 : itu

사람 : manusia, orang

은 : partikel yang menyatakan suatu objek menjadi topik di dalam kalimat

머리 : rambut

색깔 : warna

이 : partikel yang menyatakan objek dari suatu keadaan atau kondisi atau pelaku dari suatu tindakan

노랗다 : warna kuning, kuning

-아요 : (dalam bentuk hormat) kata penutup final yang mengungkapkan suatu kenyataan atau menyatakan pertanyaan, perintah, atau ajakan <penjabaran>

(120) 붉다 [bukda]

merah, merah tua

warnanya sama seperti warna darah atau cabai yang sudah matang

붉은 태양이 떠오르고 있어요.

bulgeun taeyangi tteooreugo isseoyo.

붉+은 태양+이 떠오르+[고 있]+어요.

붉다 : merah, merah tua

-은 : akhiran yang membuat kata di depannya berfungsi sebagai kata pewatas, dan menyatakan keadaan saat ini

태양 : matahari

이 : partikel yang menyatakan objek dari suatu keadaan atau kondisi atau pelaku dari suatu tindakan

떠오르다 : muncul, nongol

-고 있다 : ungkapan yang menyatakan bahwa tindakan yang disebutkan dalam kalimat di depan terus berjalan

-어요 : (dalam bentuk hormat) kata penutup final yang mengungkapkan suatu kenyataan atau menyatakan pertanyaan, perintah, atau ajakan <penjabaran>

(121) 빨갛다 [ppalgata]

merah, merah tua

cerah dan merah terang seperti darah atau seperti cabai yang sudah matang

코가 왜 이렇게 <u>빨개요</u>?

koga wae ireoke ppalgaeyo?

코+가 왜 이렇+게 <u>빨갛</u>+<u>아요</u>?
          빨개요

코 : hidung

가 : partikel yang menyatakan objek dari suatu keadaan atau kondisi atau pelaku dari suatu tindakan

왜 : kenapa, mengapa

이렇다 : demikian, begitu, begini

-게 : kata penutup sambung yang menyatakan isi kalimat di depan dibutuhkan sementara kalimat di belakang terus dilanjutkan(formal, kedudukan penerima sangat rendah)

빨갛다 : merah, merah tua

-아요 : (dalam bentuk hormat) kata penutup final yang mengungkapkan suatu kenyataan atau menyatakan pertanyaan, perintah, atau ajakan <pertanyaan>

(122) 파랗다 [parata]

biru

cerah dan biru jelas seperti langit terang musim gugur atau laut dalam

왜 이마에 멍이 <u>파랗게</u> 들었어요?

wae imae meongi parake deureosseoyo?

왜 이마+에 멍+이 파랗+게 들+었+어요?

왜 : kenapa, mengapa
이마 : dahi
에 : partikel yang menyatakan kalimat di depan adalah tempat atau lokasi
멍 : memar
이 : partikel yang menyatakan objek dari suatu keadaan atau kondisi atau pelaku dari suatu tindakan
파랗다 : biru
-게 : kata penutup sambung yang menyatakan isi kalimat di depan dibutuhkan sementara kalimat di belakang terus dilanjutkan(formal, kedudukan penerima sangat rendah)
들다 : terserang, sakit
-었- : akhiran kalimat yang menyatakan sebuah peristiwa sudah selesai di masa lampau atau menyatakan keadaan di mana hasil peristiwa tersebut terus berlangsung hingga sekarang
-어요 : (dalam bentuk hormat) kata penutup final yang mengungkapkan suatu kenyataan atau menyatakan pertanyaan, perintah, atau ajakan <pertanyaan>

(123) 푸르다 [pureuda]

biru

cerah dan terang seperti warna rumput yang segar, langit musim gugur yang cerah atau laut yang dalam

바다가 넓고 <u>푸르러요</u>.

badaga neolgo pureureoyo.

바다+가 넓+고 <u>푸르+어요(러요)</u>.
　　　　　　　　푸르러요

바다 : laut
가 : partikel yang menyatakan objek dari suatu keadaan atau kondisi atau pelaku dari suatu tindakan
넓다 : luas, lapang

-고 : akhiran penghubung yang digunakan untuk menyusun dua atau lebih kenyataan yang setara

푸르다 : biru

-어요 : (dalam bentuk hormat) kata penutup final yang mengungkapkan suatu kenyataan atau menyatakan pertanyaan, perintah, atau ajakan <penjabaran>

(124) 하얗다 [hayata]

putih, putih bersih, putih salju

putih dengan cerah dan jelas seperti warna salju atau susu

눈이 내려서 세상이 <u>하얗게</u> 변했어요.

nuni naeryeoseo sesangi hayake byeonhaesseoyo.

눈+이 <u>내리+어서</u> 세상+이 하얗+게 <u>변하+였+어요</u>.

      내려서   변했어요

눈 : salju

이 : partikel yang menyatakan objek dari suatu keadaan atau kondisi atau pelaku dari suatu tindakan

내리다 : turun

-어서 : kata penutup sambung yang menyatakan alasan atau landasan

세상 : bumi

이 : partikel yang menyatakan objek dari suatu keadaan atau kondisi atau pelaku dari suatu tindakan

하얗다 : putih, putih bersih, putih salju

-게 : kata penutup sambung yang menyatakan isi kalimat di depan dibutuhkan sementara kalimat di belakang terus dilanjutkan(formal, kedudukan penerima sangat rendah)

변하다 : berubah

-였- : akhiran kalimat yang menyatakan sebuah peristiwa sudah selesai di masa lampau atau menyatakan keadaan di mana hasil peristiwa tersebut terus berlangsung hingga sekarang

-어요 : (dalam bentuk hormat) kata penutup final yang mengungkapkan suatu kenyataan atau menyatakan pertanyaan, perintah, atau ajakan <penjabaran>

(125) 희다 [hida]

putih

terang dan jelas seperti warna salju atau susu

동생은 얼굴이 <u>희고</u> 머리카락이 까매요.

dongsaengeun eolguri huigo meorikaragi kkamaeyo.

동생+은 얼굴+이 희+고 머리카락+이 까맣+아요.
까매요

동생 : adik
은 : partikel yang menyatakan suatu objek menjadi topik di dalam kalimat
얼굴 : wajah, muka
이 : partikel yang menyatakan objek dari suatu keadaan atau kondisi atau pelaku dari suatu tindakan
희다 : putih
-고 : akhiran penghubung yang digunakan untuk menyusun dua atau lebih kenyataan yang setara
머리카락 : rambut
이 : partikel yang menyatakan objek dari suatu keadaan atau kondisi atau pelaku dari suatu tindakan
까맣다 : hitam
-아요 : (dalam bentuk hormat) kata penutup final yang mengungkapkan suatu kenyataan atau menyatakan pertanyaan, perintah, atau ajakan <penjabaran>

(126) 많다 [manta]

banyak

angka atau jumlah, volume, tingkat, dsb melebihi standar tertentu

저는 호기심이 많아요.
jeoneun hogisimi manayo.

저+는 호기심+이 많+아요.

저 : saya
는 : partikel yang menyatakan suatu objek menjadi topik di dalam kalimat
호기심 : keingintahuan, rasa penasaran
이 : partikel yang menyatakan objek dari suatu keadaan atau kondisi atau pelaku dari suatu tindakan
많다 : banyak
-아요 : (dalam bentuk hormat) kata penutup final yang mengungkapkan suatu kenyataan atau menyatakan pertanyaan, perintah, atau ajakan <penjabaran>

(127) 부족하다 [bujokada]

kurang

tidak cukup atau kurangnya jumlah atau standar dari yang diperlukan

사업을 하기에 돈이 많이 <u>부족해요</u>.

saeobeul hagie doni mani bujokaeyo.

사업+을 하+기+에 돈+이 많이 <u>부족하+여요</u>.
부족해요

사업 : usaha, bisnis

을 : partikel yang menyatakan objek dari suatu gerakan yang secara langsung memberikan pengaruh

하다 : melakukan, mengerjakan, menjalankan

-기 : akhiran yang membuat kata di depannya berfungsi sebagai kata benda

에 : partikel yang menyatakan kalimat di depan adalah syarat, lingkungan, keadaan, dsb sesuatu

돈 : uang

이 : partikel yang menyatakan objek dari suatu keadaan atau kondisi atau pelaku dari suatu tindakan

많이 : dengan banyak

부족하다 : kurang

-여요 : (dalam bentuk hormat) kata penutup final yang mengungkapkan suatu kenyataan atau menyatakan pertanyaan, perintah, atau ajakan <penjabaran>

(128) 적다 [jeokda]

kecil, minim

nilai atau jumlah, ukuran tidak bisa mencapai standar tertentu

배고픈데 음식 양이 너무 <u>적어요</u>.

baegopeunde eumsik yangi neomu jeogeoyo.

<u>배고프+ㄴ데</u> 음식 양+이 너무 적+어요.
　배고픈데

배고프다 : lapar, kelaparan

-ㄴ데 : akhiran penghubung untuk mengatakan terlebih dahulu keadaan yang berhubungan sebelum mengatakan kalimat yang berhubungan

음식 : pangan, makanan

양 : jumlah

이 : partikel yang menyatakan objek dari suatu keadaan atau kondisi atau pelaku dari suatu tindakan

너무 : terlalu, berlebihan

적다 : kecil, minim

-어요 : (dalam bentuk hormat) kata penutup final yang mengungkapkan suatu kenyataan atau menyatakan pertanyaan, perintah, atau ajakan <penjabaran>

(129) 낫다 [natda]

lebih baik

sesuatu dibanding lainnya lebih baik

몸이 아플 때에는 쉬는 것이 제일 <u>나아요</u>.

momi apeul ttaeeneun swineun geosi jeil naayo.

몸+이 <u>아프</u>+[ㄹ 때]+에+는 쉬+[는 것]+이 제일 <u>낫(나)</u>+<u>아요</u>.
　　　　　아플 때에는　　　　　　　　　　　나아요

몸 : tubuh, badan

이 : partikel yang menyatakan objek dari suatu keadaan atau kondisi atau pelaku dari suatu tindakan

아프다 : sakit, nyeri

-ㄹ 때 : ungkapan yang menunjukkan hal selama atau sewaktu suatu tindakan atau kondisi berlangsung, atau saat hal yang demikian terjadi

에 : partikel yang menyatakan kalimat di depan adalah waktu atau saat

는 : partikel yang menyatakan suatu objek menjadi topik di dalam kalimat

쉬다 : istirahat, beristirahat

-는 것 : ungkapan yang dapat membuat suatu kelas kata bisa digunakan sebagai kata benda dalam kalimat dan berfungsi sebagai subjek atau objek, atau dapat membuat suatu kelas kata bisa digunakan di depan '이다'

이 : partikel yang menyatakan objek dari suatu keadaan atau kondisi atau pelaku dari suatu tindakan

제일 : paling, ter-

낫다 : lebih baik

-아요 : (dalam bentuk hormat) kata penutup final yang mengungkapkan suatu kenyataan atau menyatakan pertanyaan, perintah, atau ajakan <penjabaran>

(130) 분명하다 [bunmyeonghada]

jelas, nyata

penampilan atau suara tidak samar, sangat jelas

크고 <u>분명한</u> 목소리로 말해 주세요.

keugo bunmyeonghan moksoriro malhae juseyo.

크+고 <u>분명하</u>+ㄴ 목소리+로 말하+[여 주]+<u>세요</u>.
　　　　분명한　　　　　　　　말해 주세요

크다 : besar, keras

-고 : akhiran penghubung yang digunakan untuk menyusun dua atau lebih kenyataan yang setara

분명하다 : jelas, nyata

-ㄴ : akhiran yang membuat kata di depannya berfungsi sebagai kata pewatas, dan menyatakan keadaan saat ini

목소리 : suara, vokal

로 : partikel yang menyatakan cara atau tata cara suatu pekerjaan

말하다 : mengatakan

-여 주다 : ungkapan yang menyatakan melakukan tindakan yang disebutkan dalam kalimat di depan untuk orang lain

-세요 : (dalam bentuk hormat) akhiran kalimat penutup yang menyatakan arti penjelasan, pertanyaan, perintah, permintaan, dsb <permohonan>

(131) 심하다 [simhada]

keterlaluan, kelewatan, parah, berlebihan

ukurannya berlebihan

감기에 <u>심하게</u> 걸렸어요.

gamgie simhage geollyeosseoyo.

감기+에 심하+게 걸리+었+어요.
            걸렸어요

감기 : flu, influensa, masuk angin

에 : partikel yang menyatakan kalimat di depan adalah objek suatu tindakan atau perasaan dsb

심하다 : keterlaluan, kelewatan, parah, berlebihan

-게 : kata penutup sambung yang menyatakan isi kalimat di depan dibutuhkan sementara kalimat di belakang terus dilanjutkan(formal, kedudukan penerima sangat rendah)

걸리다 : terkena, menderita

-었- : akhiran kalimat yang menyatakan sebuah peristiwa sudah selesai di masa lampau atau menyatakan keadaan di mana hasil peristiwa tersebut terus berlangsung hingga sekarang

-어요 : (dalam bentuk hormat) kata penutup final yang mengungkapkan suatu kenyataan atau menyatakan pertanyaan, perintah, atau ajakan <penjabaran>

(132) 알맞다 [almatda]

tepat, akurat, pas, sesuai, cocok

sesuai dengan standar, syarat, atau tingkat tertentu, tidak lebih atau kurang

물 온도가 목욕하기에 딱 <u>알맞아요</u>.

mul ondoga mogyokagie ttak almajayo.

물 온도+가 목욕하+기+에 딱 알맞+아요.

물 : air
온도 : temperatur, suhu
가 : partikel yang menyatakan objek dari suatu keadaan atau kondisi atau pelaku dari suatu tindakan
목욕하다 : mandi
-기 : akhiran yang membuat kata di depannya berfungsi sebagai kata benda
에 : partikel yang menyatakan kalimat di depan adalah syarat, lingkungan, keadaan, dsb sesuatu
딱 : bentuk jumlah atau besar, keadaan, dsb benar-benar tepat atau pas
알맞다 : tepat, akurat, pas, sesuai, cocok
-아요 : (dalam bentuk hormat) kata penutup final yang mengungkapkan suatu kenyataan atau menyatakan pertanyaan, perintah, atau ajakan <penjabaran>

(133) 적당하다 [jeokdanghada]

benar, sesuai, wajar. cukup

sesuai dengan standar, syarat, ukuran

하루 수면 시간은 일곱 시간 정도가 <u>적당해요</u>.

haru sumyeon siganeun ilgop sigan jeongdoga jeokdanghaeyo.

하루 수면 시간+은 일곱 시간 정도+가 <u>적당하+여요</u>.
적당해요

하루 : satu hari, sehari
수면 : tidur
시간 : waktu, masa, periode
은 : partikel yang menyatakan suatu objek menjadi topik di dalam kalimat
일곱 : tujuh
시간 : jam
정도 : sekitar, seukuran, sebanyak
가 : partikel yang menyatakan objek dari suatu keadaan atau kondisi atau pelaku dari suatu tindakan
적당하다 : benar, sesuai, wajar. cukup
-여요 : (dalam bentuk hormat) kata penutup final yang mengungkapkan suatu kenyataan atau menyatakan pertanyaan, perintah, atau ajakan <penjabaran>

(134) 정확하다 [jeonghwakada]

tepat, akurat, benar, jelas, betul

benar dan jelas

<u>정확한</u> 한국어 발음을 하고 싶어요.

jeonghwakan hangugeo bareumeul hago sipeoyo.

<u>정확하+ㄴ</u> 한국어 발음+을 하+[고 싶]+어요.
　 정확한

정확하다 ：tepat, akurat, benar, jelas, betul
-ㄴ ：akhiran yang membuat kata di depannya berfungsi sebagai kata pewatas, dan menyatakan keadaan saat ini
한국어 ：bahasa Korea
발음 ：pelafalan, pengucapan
을 ：partikel yang menyatakan objek dari suatu gerakan yang secara langsung memberikan pengaruh
하다 ：melakukan, mengerjakan, menjalankan
-고 싶다 ：ungkapan yang menyatakan bahwa pembicara ingin melakukan tindakan yang disebut dalam kalimat di depan
-어요 ：(dalam bentuk hormat) kata penutup final yang mengungkapkan suatu kenyataan atau menyatakan pertanyaan, perintah, atau ajakan <penjabaran>

(135) 중요하다 [jungyohada]

penting

sangat berharga dan pasti diperlukan

살을 <u>뺄 때는</u> 운동이 <u>중요해요</u>.

sareul ppael ttaeneun undongi jungyohaeyo.

살+을 <u>빼+[ㄹ 때]+는</u> 운동+이 <u>중요하+여요</u>.
　　　　 뺄 때는　　　　　　　　　 중요해요

살 ：daging
을 ：partikel yang menyatakan objek dari suatu gerakan yang secara langsung memberikan pengaruh
빼다 ：mengurangi, menguruskan
-ㄹ 때 ：ungkapan yang menunjukkan hal selama atau sewaktu suatu tindakan atau kondisi berlangsung, atau saat hal yang demikian terjadi

는 : partikel yang menyatakan suatu objek menjadi topik di dalam kalimat

운동 : olahraga

이 : partikel yang menyatakan objek dari suatu keadaan atau kondisi atau pelaku dari suatu tindakan

중요하다 : penting

-여요 : (dalam bentuk hormat) kata penutup final yang mengungkapkan suatu kenyataan atau menyatakan pertanyaan, perintah, atau ajakan <penjabaran>

(136) 진하다 [jinhada]

kental

cairannya tidak encer dan cukup kental

커피가 너무 진해요.

keopiga neomu jinhaeyo.

커피+가 너무 진하+여요.
　　　　　　　진해요

커피 : kopi

가 : partikel yang menyatakan objek dari suatu keadaan atau kondisi atau pelaku dari suatu tindakan

너무 : terlalu, berlebihan

진하다 : kental

-여요 : (dalam bentuk hormat) kata penutup final yang mengungkapkan suatu kenyataan atau menyatakan pertanyaan, perintah, atau ajakan <penjabaran>

(137) 충분하다 [chungbunhada]

cukup

tidak kurang dan berkecukupan

저는 이 빵 하나면 충분해요.

jeoneun i ppang hanamyeon chungbunhaeyo.

저+는 이 빵 하나+이+면 충분하+여요.
　　　　　　하나면　　　충분해요

저 : saya

는 : partikel yang menyatakan suatu objek menjadi topik di dalam kalimat

이 : ini, si ini

빵 : roti

하나 : satu

이다 : partikel kasus predikatif yang menyatakan maksud menentukan karakter atau jenis dari objek yang diindikasikan subjek

-면 : akhiran penghubung untuk menyatakan menjadi landasan atau syarat terhadap kalimat induk

충분하다 : cukup

-여요 : (dalam bentuk hormat) kata penutup final yang mengungkapkan suatu kenyataan atau menyatakan pertanyaan, perintah, atau ajakan <penjabaran>

필수(wajib)

문법(pelajaran tata bahasa)

1. 모음 : 사람이 목청을 울려 내는 소리로, 공기의 흐름이 방해를 받지 않고 나는 소리.

huruf vokal, vokal
suara yang dihasilkan manusia, suara yang dihasilkan oleh aliran udara dari paru-paru tidak terhambat

(1) ㅏ : 한글 자모의 열다섯째 글자. 이름은 '아'이고 중성으로 쓴다.

huruf kelimabelas dalam abjad Hangeul, bernama ´아´ dan digunakan sebagai bunyi medial

(2) ㅑ : 한글 자모의 열여섯째 글자. 이름은 '야'이고 중성으로 쓴다.

huruf keenambelas dalam abjad Hangeul, bernama ´야´ dan digunakan sebagai bunyi medial

(3) ㅓ : 한글 자모의 열일곱째 글자. 이름은 '어'이고 중성으로 쓴다.

huruf ketujuhbelas dalam abjad Hangeul, bernama ´어´ dan digunakan sebagai bunyi medial

(4) ㅕ : 한글 자모의 열여덟째 글자. 이름은 '여'이고 중성으로 쓴다.

huruf kedelapanbelas dalam abjad Hangeul, bernama ´여´ dan digunakan sebagai bunyi medial

(5) ㅗ : 한글 자모의 열아홉째 글자. 이름은 '오'이고 중성으로 쓴다.

huruf kesembilanbelas dalam abjad Hangeul, vokal yang dilafalkan sebagai ˝오˝

(6) ㅛ : 한글 자모의 스무째 글자. 이름은 '요'이고 중성으로 쓴다.

huruf keduapuluh dalam abjad Hangeul, bernama ´요´ dan digunakan sebagai bunyi medial

(7) ㅜ : 한글 자모의 스물한째 글자. 이름은 '우'이고 중성으로 쓴다.

huruf keduapuluh satu dalam abjad Hangeul, bernama ´우´ dan digunakan sebagai bunyi medial

(8) ㅠ : 한글 자모의 스물두째 글자. 이름은 '유'이고 중성으로 쓴다.

huruf keduapuluh dua dalam abjad Hangeul, bernama ´유´ dan digunakan sebagai bunyi medial

(9) ㅡ : 한글 자모의 스물셋째 글자. 이름은 '으'이고 중성으로 쓴다.

huruf keduapuluh tiga dalam abjad Hangeul, bernama ´으´ dan digunakan sebagai bunyi medial

(10) ㅣ : 한글 자모의 스물넷째 글자. 이름은 '이'이고 중성으로 쓴다.

huruf keduapuluh empat dalam abjad Hangeul, bernama ´이´ dan digunakan sebagai bunyi medial

(11) ㅚ : 한글 자모 'ㅗ'와 'ㅣ'를 모아 쓴 글자. 이름은 '외'이고 중성으로 쓴다.

huruf gabungan ´ㅗ´ dan ´ㅣ´, bernama ´외´ dan digunakan sebagai bunyi medial

(12) ㅟ : 한글 자모 'ㅜ'와 'ㅣ'를 모아 쓴 글자. 이름은 '위'이고 중성으로 쓴다.

huruf gabungan ´ㅜ´ dan ´ㅣ´, bernama ´위´ dan digunakan sebagai bunyi medial

(13) ㅐ : 한글 자모 'ㅏ'와 'ㅣ'를 모아 쓴 글자. 이름은 '애'이고 중성으로 쓴다.

huruf gabungan ´ㅏ´ dan ´ㅣ´, bernama ´애´ dan digunakan sebagai bunyi medial

(14) ㅔ : 한글 자모 'ㅓ'와 'ㅣ'를 모아 쓴 글자. 이름은 '에'이고 중성으로 쓴다.

huruf gabungan ´ㅓ´ dan ´ㅣ´, bernama ´에´ dan digunakan sebagai bunyi medial

(15) ㅒ : 한글 자모 'ㅑ'와 'ㅣ'를 모아 쓴 글자. 이름은 '얘'이고 중성으로 쓴다.

huruf gabungan ´ㅑ´ dan ´ㅣ´, bernama ´얘´ dan digunakan sebagai bunyi medial

(16) ㅖ : 한글 자모 'ㅕ'와 'ㅣ'를 모아 쓴 글자. 이름은 '예'이고 중성으로 쓴다.
huruf gabungan ´ㅕ´ dan ´ㅣ´, vbernama ´예´ dan digunakan sebagai bunyi medial

(17) ㅘ : 한글 자모 'ㅗ'와 'ㅏ'를 모아 쓴 글자. 이름은 '와'이고 중성으로 쓴다.

huruf gabungan ´ㅗ´ dan ´ㅏ´, vbernama ´와´ dan digunakan sebagai bunyi medial

(18) ㅝ : 한글 자모 'ㅜ'와 'ㅓ'를 모아 쓴 글자. 이름은 '워'이고 중성으로 쓴다.

huruf gabungan ´ㅜ´ dan ´ㅓ´, bernama ´워´ dan digunakan sebagai bunyi medial

(19) ㅙ : 한글 자모 'ㅗ'와 'ㅐ'를 모아 쓴 글자. 이름은 '왜'이고 중성으로 쓴다.

huruf gabungan ´ㅗ´ dan ´ㅐ´, bernama ´왜´ dan digunakan sebagai bunyi medial

(20) ㅞ : 한글 자모 'ㅜ'와 'ㅔ'를 모아 쓴 글자. 이름은 '웨'이고 중성으로 쓴다.

huruf gabungan ´ㅜ´ dan ´ㅔ´, bernama ´웨´ dan digunakan sebagai bunyi medial

(21) ㅢ : 한글 자모 'ㅡ'와 'ㅣ'를 모아 쓴 글자. 이름은 '의'이고 중성으로 쓴다.

huruf gabungan ´ㅡ´ dan ´ㅣ´, bernama ´의´ dan digunakan sebagai bunyi medial

| ㅏ | ㅓ | ㅗ | ㅜ | ㅡ | ㅣ | ㅐ | ㅔ | ㅚ | ㅟ |

| ㅑ | ㅕ | ㅛ | ㅠ | ㅒ | ㅖ | ㅘ | ㅝ | ㅙ | ㅞ | ㅢ |

ㅣ + ㅏ = ㅑ   ㅣ + ㅓ = ㅕ   ㅣ + ㅗ = ㅛ   ㅣ + ㅜ = ㅠ

ㅗ + ㅏ = ㅘ   ㅜ + ㅓ = ㅝ   ㅗ + ㅐ = ㅙ   ㅜ + ㅔ = ㅞ

ㅡ + ㅣ = ㅢ

ㅏ	ㅑ	ㅓ	ㅕ	ㅗ	ㅛ	ㅜ	ㅠ	ㅡ	ㅣ
a	ya	eo	yeo	o	yo	u	yu	eu	i

ㅐ	ㅔ	ㅒ	ㅖ	ㅙ	ㅞ	ㅚ	ㅟ	ㅘ	ㅝ	ㅢ
ae	e	yae	ye	wae	we	oe	wi	wa	wo	ui

2. 자음 : 목, 입, 혀 등의 발음 기관에 의해 장애를 받으며 나는 소리.

konsonan

suara yang timbul ketika organ pengucapan seperti tenggorokan, bibir, lidah, dsb mendapat hambatan

(1) ㄱ : 한글 자모의 첫째 글자. 이름은 기역으로 소리를 낼 때 혀뿌리가 목구멍을 막는 모양을 본떠 만든 글자이다.

huruf pertama dalam abjad Hangeul yang bernama ´기역´ serta dibuat dari bentuk pangkal lidah yang menutupi lubang tenggorokan saat melafalkannya

(2) ㄴ : 한글 자모의 둘째 글자. 이름은 '니은'으로 소리를 낼 때 혀끝이 윗잇몸에 붙는 모양을 본떠 만든 글자이다.

huruf kedua dalam abjad Hangeul, huruf yang bernama ´니은´ serta dibuat dari bentuk ujung lidah yang menyentuh gusi gigi atas saat melafalkannya

(3) ㄷ : 한글 자모의 셋째 글자. 이름은 '디귿'으로, 소리를 낼 때 혀의 모습은 'ㄴ'과 같지만 더 세게 발음 되므로 한 획을 더해 만든 글자이다.

huruf ketiga dalam abjad Hangeul, huruf yang bernama ´디귿´ serta bentuk lidahnya sama tetapi dilafalkan lebih keras daripada ´ㄴ´ sehingga dibuat dengan menambahkan satu garis tambahan

(4) ㄹ : 한글 자모의 넷째 글자. 이름은 '리을'로 혀끝을 윗잇몸에 가볍게 대었다가 떼면서 내는 소리를 나 타낸다.

huruf keempat dalam abjad Hangeul yang bernama ´리을´ serta dibuat dengan menempelkan ujung lidah ke gusi atas dengan ringan lalu dilepaskan saat melafalkannya

(5) ㅁ : 한글 자모의 다섯째 글자. 이름은 '미음'으로, 소리를 낼 때 다물어지는 두 입술 모양을 본떠서 만든 글자이다.

huruf kelima dalam abjad Hangeul, huruf yang bernama ´미음´ serta dibuat dari bentuk kedua belah bibir saat melafalkannya

(6) ㅂ : 한글 자모의 여섯째 글자. 이름은 '비읍'으로, 소리를 낼 때의 입술 모양은 'ㅁ'과 같지만 더 세게 발음되므로 'ㅁ'에 획을 더해서 만든 글자이다.

huruf keenam dalam abjad Hangeul, huruf yang bernama ´비읍´ serta bentuk bibirnya sama tetapi dilafalkan lebih keras daripada ´ㅁ´ sehingga dibuat dengan menambahkan satu garis tambahan

(7) ㅅ : 한글 자모의 일곱째 글자. 이름은 '시옷'으로 이의 모양을 본떠서 만든 글자이다.

huruf ketujuh dalam abjad Hangeul, huruf yang bernama ´시옷´ serta dibuat dari bentuk gigi saat melafalkannya

(8) ㅇ : 한글 자모의 여덟째 글자. 이름은 '이응'으로 목구멍의 모양을 본떠서 만든 글자이다. 초성으로 쓰일 때 소리가 없다.

huruf kedelapan dalam abjad Hangeul, huruf yang bernama ´이응´ serta dibuat dari bentuk lubang tenggorokan saat melafalkannya

(9) ㅈ : 한글 자모의 아홉째 글자. 이름은 '지읒'으로, 'ㅅ'보다 소리가 더 세게 나므로 'ㅅ'에 한 획을 더해 만든 글자이다.

huruf kesembilan dalam abjad Hangeul, huruf yang bernama ´지읒´ serta dilafalkan lebih keras daripada ´ㅅ´ sehingga dibuat dengan menambahkan satu garis tambahan

(10) ㅊ : 한글 자모의 열째 글자. 이름은 '치읓'으로 '지읒'보다 소리가 거세게 나므로 '지읒'에 한 획을 더해서 만든 글자이다.

huruf kesepuluh dalam abjad Hangeul, huruf yang bernama ´치읓´ serta dilafalkan lebih keras daripada ´ㅈ´ sehingga dibuat dengan menambahkan satu garis tambahan

(11) ㅋ : 한글 자모의 열한째 글자. 이름은 '키읔'으로 'ㄱ'보다 소리가 거세게 나므로 'ㄱ'에 한 획을 더하여 만든 글자이다.

huruf kesebelas dalam abjad Hangeul, huruf yang bernama ´키읔´ serta dilafalkan lebih keras daripada ´ㄱ´ sehingga dibuat dengan menambahkan satu garis tambahan

(12) ㅌ : 한글 자모의 열두째 글자. 이름은 '티읕'으로, 'ㄷ'보다 소리가 거세게 나므로 'ㄷ'에 한 획을 더하여 만든 글자이다.

huruf keduabelas dalam abjad Hangeul, huruf yang bernama ´티읕´ serta dilafalkan lebih keras daripada ´ㄷ´ sehingga dibuat dengan menambahkan satu garis tambahan

(13) ㅍ : 한글 자모의 열셋째 글자. 이름은 '피읖'으로, 'ㅁ, ㅂ'보다 소리가 거세게 나므로 'ㅁ'에 획을 더하여 만든 글자이다.

huruf ketigabelas dalam abjad Hangeul, huruf yang bernama ´피읖´ serta dilafalkan lebih keras daripada ´ㅁ, ㅂ´ sehingga dibuat dengan menambahkan satu garis tambahan

(14) ㅎ : 한글 자모의 열넷째 글자. 이름은 '히읗'으로, 이 글자의 소리는 목청에서 나므로 목구멍을 본떠 만든 'ㅇ'의 경우와 같지만 'ㅇ'보다 더 세게 나므로 'ㅇ'에 획을 더하여 만든 글자이다.

huruf keempatbelas dalam abjad Hangeul, bunyi yang bernama ′히읗′ serta lebih keras daripada ′ㅇ′ di tempat yang sama sehingga dibuat dengan menambahkan satu garis tambahan

(15) ㄲ : 한글 자모 'ㄱ'을 겹쳐 쓴 글자. 이름은 쌍기역으로, 'ㄱ'의 된소리이다.

huruf ′ㄱ′ dalam abjad Hangeul yang ditulis rangkap, bernama ′쌍기역′, bunyi ′ㄱ′ yang ditekankan

(16) ㄸ : 한글 자모 ′ㄷ′을 겹쳐 쓴 글자. 이름은 쌍디귿으로, ′ㄷ′의 된소리이다.

huruf ′ㄷ′ dalam abjad Hangeul yang ditulis rangkap, bernama ′쌍디귿′, bunyi ′ㄷ′ yang ditekankan

(17) ㅃ : 한글 자모 'ㅂ'을 겹쳐 쓴 글자. 이름은 쌍비읍으로, 'ㅂ'의 된소리이다.

huruf ′ㅂ′ dalam abjad Hangeul yang ditulis rangkap, bernama ′쌍비읍′, bunyi ′ㅂ′ yang ditekankan

(18) ㅆ 한글 자모 'ㅅ'을 겹쳐 쓴 글자. 이름은 쌍시옷으로, 'ㅅ'의 된소리이다.

huruf ′ㅅ′ dalam abjad Hangeul yang ditulis rangkap, bernama ′쌍시옷′, bunyi ′ㅅ′ yang ditekankan

(19) ㅉ : 한글 자모 'ㅈ'을 겹쳐 쓴 글자. 이름은 쌍지읒으로, 'ㅈ'의 된소리이다.

huruf ′ㅈ′ dalam abjad Hangeul yang ditulis rangkap, bernama ′쌍지읒′, bunyi ′ㅈ′ yang ditekankan

ㄱ	ㄴ	ㄷ	ㄹ	ㅁ	ㅂ	ㅅ	ㅇ	ㅈ	ㅊ	ㅋ	ㅌ	ㅍ	ㅎ
g,k	n	d,t	r,l	m	b,p	s	ng	j	ch	k	t	p	h

ㄲ	ㄸ	ㅃ	ㅆ	ㅉ
kk	tt	pp	ss	jj

ㄱ	ㄴ	ㄷ	ㄹ	ㅁ	ㅂ	ㅅ	ㅇ	ㅈ		ㅎ
ㅋ		ㅌ			ㅍ			ㅊ		
ㄲ		ㄸ			ㅃ	ㅆ		ㅉ		

3. 음절 : 모음, 모음과 자음, 자음과 모음, 자음과 모음과 자음이 어울려 한 덩어리로 내는 말소리의 단위.

suku kata
satuan suara di mana vokal, vokal dan konsonan, konsonan dan vokal, konsonan dan vokal dan konsonan saling menyatu dan bisa diucapkan dalam satu kali ucap

1) 모음(huruf vokal)

   예 (contoh) : 아, 어, 오, 우⋯⋯

2) 자음(konsonan) + 모음(huruf vokal)

   예 (contoh) : 가, 도, 루, 슈⋯⋯

3) 모음(huruf vokal) + 자음(konsonan)

   예 (contoh) : 악, 얌, 임, 윤⋯⋯

4) 자음(konsonan) + 모음(huruf vokal) + 자음(konsonan)

   예 (contoh) : 각, 남, 당, 균⋯⋯

	ㄱ	ㄴ	ㄷ	ㄹ	ㅁ	ㅂ	ㅅ	ㅇ	ㅈ	ㅊ	ㅋ	ㅌ	ㅍ	ㅎ
ㅏ	가	나	다	라	마	바	사	아	자	차	카	타	파	하
ㅓ	거	너	더	러	머	버	서	어	저	처	커	터	퍼	허
ㅗ	고	노	도	로	모	보	소	오	조	초	코	토	포	호
ㅜ	구	누	두	루	무	부	수	우	주	추	쿠	투	푸	후
ㅡ	그	느	드	르	므	브	스	으	즈	츠	크	트	프	흐
ㅣ	기	니	디	리	미	비	시	이	지	치	키	티	피	히
ㅐ	개	내	대	래	매	배	새	애	재	채	캐	태	패	해
ㅔ	게	네	데	레	메	베	세	에	제	체	케	테	페	헤
ㅚ	괴	뇌	되	뢰	뫼	뵈	쇠	외	죄	최	쾨	퇴	푀	회
ㅟ	귀	뉘	뒤	뤼	뮈	뷔	쉬	위	쥐	취	퀴	튀	퓌	휘
ㅑ	갸	냐	댜	랴	먀	뱌	샤	야	쟈	챠	캬	탸	퍄	햐
ㅕ	겨	녀	뎌	려	며	벼	셔	여	져	쳐	켜	텨	펴	혀
ㅛ	교	뇨	됴	료	묘	뵤	쇼	요	죠	쵸	쿄	툐	표	효
ㅠ	규	뉴	듀	류	뮤	뷰	슈	유	쥬	츄	큐	튜	퓨	휴
ㅒ	걔	냬	댸	럐	먜	뱨	섀	얘	쟤	챼	컈	턔	퍠	햬
ㅖ	계	녜	뎨	례	몌	볘	셰	예	졔	쳬	켸	톄	폐	혜
ㅘ	과	놔	돠	롸	뫄	봐	솨	와	좌	촤	콰	톼	퐈	화
ㅝ	궈	눠	둬	뤄	뭐	붜	숴	워	줘	춰	쿼	퉈	풔	훠
ㅙ	괘	놰	돼	뢔	뫠	봬	쇄	왜	좨	쵀	쾌	퇘	퐤	홰
ㅞ	궤	눼	뒈	뤠	뭬	붸	쉐	웨	줴	췌	퀘	퉤	풰	훼
ㅢ	긔	늬	듸	릐	믜	븨	싀	의	즤	츼	킈	틔	픠	희

4. 품사 : 단어를 기능, 형태, 의미에 따라 나눈 갈래.

kelas kata
bagian kata yang dibagi berdasarkan fungsi, bentuk, dan arti kata

---

• 체언 : 문장에서 명사, 대명사, 수사와 같이 문장의 주어나 목적어 등의 기능을 하는 말.

substantif
kata yang berfungsi subjek, objek dsb dalam kalimat seperti kata benda, pronomina (kata ganti), dan bilangan

• 용언 : 문법에서, 동사나 형용사와 같이 문장에서 서술어의 기능을 하는 말.

predikat
kata kerja atau kata sifat yang berfungsi sebagai predikat dalam kalimat

1) 본용언 : 문장의 주체를 주되게 서술하면서 보조 용언의 도움을 받는 용언.

predikat utama
predikat yang dibantu predikat bantu sambil menjelaskan subjek kalimat

2) 보조 용언 : 본용언과 연결되어 그 뜻을 보충해 주는 용언.

predikat pembantu
predikat yang tersambung dengan predikat utama dan melengkapi makna yang dimiliki predikat utama

• 수식언 : 문법에서, 관형어나 부사어와 같이 뒤에 오는 체언이나 용언을 꾸미거나 한정하는 말.

pewatas
kata yang mewatasi atau memodifikasi substantif atau predikat seperti pewatas nomina atau adverbia.

---

1. 명사 : 사물의 이름을 나타내는 품사.

nomina
kelas kata yang memperlihatkan nama benda

2. 대명사 : 다른 명사를 대신하여 사람, 장소, 사물 등을 가리키는 낱말.

pronomina
kata yang menunjukkan orang, tempat, atau benda sebagai ganti dari kata benda atau nomina lain

3. 수사 : 수량이나 순서를 나타내는 말.

numeralia

sebutan yang menunjukkan jumlah, volume atau urutan

4. 동사 : 사람이나 사물의 움직임을 나타내는 품사.

verba

jenis kata yang menampilkan kegiatan atau pergerakan orang atau benda

5. 형용사 : 사람이나 사물의 성질이나 상태를 나타내는 품사.

adjektiva

kata yang menunjukkan sifat atau keadaan orang atau benda

• 활용 : 문법적 관계를 나타내기 위해 용언의 꼴을 조금 바꿈

konjugasi

pengubahan sedikit bentuk predikat untuk menunjukkan hubungan tata bahasa

1) 규칙 활용 : 문법에서, 동사나 형용사가 활용을 할 때 어간의 형태가 변하지 않고 일반적인 어미가 붙어 변화하는 것.

konjugasi teratur

suatu perubahan secara teratur dengan tambahnya akhiran tanpa perubahan akar kata saat verba atau adjektiva dikonjugasikan

2) 불규칙 활용 : 문법에서, 동사나 형용사가 활용을 할 때 어간의 형태가 변하거나 예외적인 어미가 붙어 변화하는 것.

konjugasi tidak teratur

suatu perubahan dengan tambahnya akhiran atau perubahan akar kata saat verba atau adjektiva dikonjugasikan

활용(konjugasi) 형태(bentuk)	어간(akar kata) + 어미(akhiran)	불규칙(ketidakberaturan) 부분(bagian)	불규칙 용언 (predikat tidak teratur)
물어	묻- + -어	묻- → 물-	싣다, 붇다, 일컫다…
지어	짓- + -어	짓- → 지-	젓다, 붓다, 잇다…
누워	눕- + -어	눕- → 누우	줍다, 굽다, 깁다…
흘러	흐르- + -어	흐르- → 흘르	부르다, 타오르다, 누르다…
하얘	하얗- + -아	-얗어- → 얘	빨갛다, 까맣다, 뽀얗다…

1) 어간 : 동사나 형용사가 활용할 때에 변하지 않는 부분.

akar kata
bagian yang tidak berubah saat kata kerja atau kata sifat dikonjugasikan

2) 어미 : 용언이나 '-이다'에서 활용할 때 형태가 달라지는 부분.

akhiran
bagian yang berubah saat predikat atau kata '-이다' dikonjugasikan

① 어말 어미 : 동사, 형용사, 서술격 조사가 활용될 때 맨 뒤에 오는 어미.

akhiran
akhiran yang diletakkan paling belakang jika kata kerja, kata sifat, dan kata bantu bentuk predikat dikonjugasikan

㉠ 종결 어미 : 한 문장을 끝맺는 기능을 하는 어말 어미.

akhiran penutup
akhiran terakhir yang berfungsi mengakhiri satu kalimat

㉡ 전성 어미 : 동사나 형용사의 어간에 붙어 동사나 형용사가 명사, 관형사, 부사와 같은 다른 품사의 기능을 가지도록 하는 어미.

Tiada Penjelasan Arti
akhiran yang ditambahkan pada bagian belakang akar kata predikat (kata kerja atau kata sifat) sehingga membuat kata itu berfungsi sebagai kelas kata lain seperti kata benda, kata pewatas, dan adverbia

㉢ 연결 어미 : 어간에 붙어 다음 말에 연결하는 기능을 하는 어미.

akhiran penghubung
akhiran yang ditambahakan pada akar kata dan berfungsi menghubungkannya dengan kata berikutnya

② 선어말 어미 : 어말 어미 앞에 놓여 높임이나 시제 등을 나타내는 어미.

Tiada Penjelasan Arti
akhiran yang diletakkan di depan akhiran terakhir untuk memperlihatkan penghormatan atau kala dsb

어미 (akhiran)			예 (contoh)	
어말 어미 (akhiran)	종결 어미 (akhiran penutup)	서술형 (penjabaran)	-다, -네, -ㅂ니다/습니다…	
		의문형 (bentuk interogatif/tanya)	-는가, -니, -ㄹ까…	
		감탄형 (bentuk seru)	-구나, -네…	
		명령형 (bentuk perintah)	-(으)세요, -어라/-아라/-여라	
		청유형 (Tiada Penjelasan Arti)	-자, -ㅂ시다/-읍시다, -세…	
	연결 어미 (akhiran penghubung)		-고, -며/으며, -지만, -거나, -어서, -려고/-으려고, -면/-으면…	
	전성 어미 (Tiada Penjelasan Arti))	명사형 어미 (akhiran bentuk nominatif)	-ㅁ/-음, -기	
		관형사형 어미 (akhiran bentuk pewatas)	과거 (masa lampau)	-ㄴ/-은
			현재 (kini)	-는
			미래 (masa depan)	-ㄹ/-을
			중단/반복 (pembatalan/berulang)	-던
		부사형 어미 (akhiran bentuk adverbia)	-게, -도록, -듯이, -이	
선어말 어미 (Tiada Penjelasan Arti))	주체(subjek) 높임(bahasa halus)		-시-/-으시-	
	시제 (kala)		과거 (masa lampau)	-았-/-었-/-였-
			현재 (kini)	-ㄴ-/-는-
			미래 (masa depan)	-ㄹ-/-을-
			회상 (mengingat kembali)	-더-

※ **청유형** : 말하는 사람이 듣는 사람에게 어떤 것을 같이 하자고 요청하는 뜻을 나타내는 종결 어미가 붙는, 동사의 활용형.

akhiran pada kata kerja yang mengartikan orang yang berbicara mengajak untuk melakukan suatu hal bersama kepada orang yang mendengar

6. 관형사 : 체언 앞에 쓰여 그 체언의 내용을 꾸며 주는 기능을 하는 말.

pewatas
kata yang diletakkan di depan substantif dan berfungsi menerangkan isi dari substantif tersebut

7. 부사 : 주로 동사나 형용사 앞에 쓰여 그 뜻을 분명하게 하는 말.

adverbia
kata yang membuat jelas arti kata yang berada di depannya, biasanya kata kerja atau kata   sifat

8. 조사 : 명사, 대명사, 수사, 부사, 어미 등에 붙어 그 말과 다른 말과의 문법적 관계를 표시하거나 그 말의 뜻을 도와주는 품사.

partikel
kelas kata yang ditambahkan pada nomina, pronomina, numeralia, adverbia, akhiran, dsb dan menandakan hubungan gramatikal dengan kata lain atau melengkapi makna kata-kata tersebut

1) 격 조사 : 명사나 명사구 뒤에 붙어 그 말이 서술어에 대하여 가지는 문법적 관계를 나타내는 조사.

partikel kasus bahasa
partikel posposisi yang diletakkan di belakang kata benda atau frasa kata benda, memperlihatkan hubungan gramatikal yang dimiliki objek dari perkataan tersebut

① 주격 조사 : 문장에서 서술어에 대한 주어의 자격을 표시하는 조사.

partikel nominatif, partikel subjek
partikel yang menandai kasus subjek dari predikat sebuah kalimat

② 목적격 조사 : 문장에서 서술어에 대한 목적어의 자격을 표시하는 조사.

partikel kasus objek
partikel yang menandakan kualifikasi objek dari predikat dalam kalimat

③ 서술격 조사 : 문장 안에서 체언이나 체언 구실을 하는 말 뒤에 붙어 이들을 서술어로 만드는 격 조사.

partikel kasus predikatif
partikel kasus yang dilekatkan di belakang substantif atau sejenisnya, lalu membuat mereka memiliki status predikat

④ 보격 조사 : 문장 안에서, 체언이 서술어의 보어임을 표시하는 격 조사.

partikel kasus komplemen
partikel yang menandai substantif sebagai objek kedua (kata pelengkap) pada predikat dalam kalimat

⑤ 관형격 조사 : 문장 안에서 앞에 오는 체언이 뒤에 오는 체언을 꾸며 주는 구실을 하게 하는 조
사.

Tiada Penjelasan Arti

partikel yang dilekatkan pada substantif (nomina, kata benda) untuk menunjukkan
bahwa substantif di depan adalah unsur kalimat yang berfungsi untuk menghias atau
menerangkan substantif lain di belakang

⑥ 부사격 조사 : 문장 안에서, 체언이 서술어에 대하여 장소, 도구, 자격, 원인, 시간 등과 같은 부
사로서의 자격을 가지게 하는 조사.

partikel kasus kata keterangan untuk predikat

partikel yang membuat substantif memiliki status sebagai kata keterangan seperti
tempat, alat, kualifikasi, sebab, waktu, dsb untuk predikat di dalam kalimat

⑦ 호격 조사 : 문장에서 체언이 독립적으로 쓰여 부르는 말의 역할을 하게 하는 조사.

partikel kasus vokatif

partikel yang substantif digunakan bebas untuk menandai orang atau benda yang
diajak bicara

2) 보조사 : 체언, 부사, 활용 어미 등에 붙어서 특별한 의미를 더해 주는 조사.

partikel posposisi

partikel posposisi yang melekat pada varian substantif atau adverbia, akhiran, dsb
sehingga menambahkan makna khusus

3) 접속 조사 : 두 단어를 이어 주는 기능을 하는 조사.

partikel penghubung

partikel yang berfungsi menghubungkan dua kata dengan status yang sama

	주격 조사 (partikel nominatif)	이/가, 께서, 에서
격 조사 (partikel kasus bahasa)	목적격 조사 (partikel kasus objek)	을/를
	보격 조사 (partikel kasus komplemen)	이/가
	부사격 조사 (partikel kasus kata keterangan untuk predikat)	에, 에서, 에게, 한테, 께, (으)로, (으)로서, (으)로써, 와/과, 하고, (이)랑, 처럼, 만큼, 같이, 보다
	관형격 조사 (Tiada Penjelasan Arti)	의
	서술격 조사 (partikel kasus predikatif)	이다
	호격 조사 (partikel kasus vokatif)	아, 야, 이시여
보조사 (partikel posposisi)	은/는, 만, 도, 까지, 부터, 마저, 조차, 밖에···	
접속 조사 (partikel penghubung)	와/과, 하고, (이)랑, (이)며	

9. **감탄사** : 느낌이나 부름, 응답 등을 나타내는 말의 품사.

interjeksi
jenis kata yang menyatakan perasaan atau panggilan, respon, dsb

5. 문장 성분 : 주어, 서술어, 목적어 등과 같이 한 문장을 구성하는 요소.

komponen kalimat
komponen yang membentuk sebuah kalimat seperti subjek, predikat, objek, dsb

1. 주어 : 문장의 주요 성분의 하나로, 주로 문장의 앞에 나와서 동작이나 상태의 주체가 되는 말.

subjek
salah satu komponen utama kalimat dalam bahasa dan biasanya muncul di bagian depan kalimat serta menjadi pelaku atau inti sebuah tindakan atau keadaan

  1) 체언 + 주격 조사 : substantif + partikel nominatif

  2) 체언 + 보조사 : substantif + partikel posposisi

2. 목적어 : 타동사가 쓰인 문장에서 동작의 대상이 되는 말.

objek
kata yang menjadi objek dari tindakan yang muncul pada kata kerja transitif dalam kalimat

  1) 체언 + 목적격 조사 : substantif + partikel kasus objek

  2) 체언 + 보조사 : substantif + partikel posposisi

3. 서술어 : 문장에서 주어의 성질, 상태, 움직임 등을 나타내는 말.

predikat
kata yang menunjukkan karakter, kondisi, pergerakan, dsb dari subjek dalam kalimat

  1) 용언 종결형 : predikat bentuk penutup

  2) 체언 + 서술격 조사 '이다' : substantif + partikel kasus predikatif '이다'

4. 보어 : 주어와 서술어만으로는 뜻이 완전하지 못할 때 보충하여 문장의 뜻을 완전하게 하는 문장 성분.

pelengkap
unsur dalam kalimat yang membantu memunculkan arti secara utuh dan melengkapi saat subjek dan kata keterangan saja tidak mampu memunculkan arti dengan sempurna

  1) 체언 + 보격 조사 : substantif + partikel kasus komplemen

  2) 체언 + 보조사 : substantif + partikel posposisi

5. 관형어 : 체언 앞에서 그 내용을 꾸며 주는 문장 성분.

Tiada Penjelasan Arti
unsur kalimat yang ada di depan substantif (nomina, kata benda) dan berfungsi menghias atau menerangkan isi substantif tersebut

　1) 관형사 : pewatas

　2) 체언 + 관형격 조사 '의' : substantif + Tiada Penjelasan Arti '의'

　3) 용언 어간 + 관형사형 어미 '-은/ㄴ, -는, -을/ㄹ, -던'

　　　: predikat akar kata + akhiran bentuk pewatas '-은/ㄴ, -는, -을/ㄹ, -던'

6. 부사어 : 문장 안에서, 용언의 뜻을 분명하게 하는 문장 성분.

kata keterangan
unsur kalimat yang membuat jelas arti predikat di dalam kalimat

　1) 부사 : adverbia

　2) 부사 + 보조사 : adverbia + partikel posposisi

　3) 용언 어간 + 부사형 어미 '-게' : predikat akar kata + akhiran bentuk adverbia '-게'

7. 독립어 : 문장의 다른 성분과 밀접한 관계없이 독립적으로 쓰는 말.

Tiada Penjelasan Arti
kata yang digunakan tanpa bertalian dengan unsur kalimat yang lain dan tidak mengandung makna leksikal seperti kata tugas.

　1) 감탄사 : interjeksi

　2) 체언 + 호격 조사 : substantif + partikel kasus vokatif

6. 어순 : 한 문장 안에서 주어, 목적어, 서술어 등의 문장 성분이 나오는 순서.

struktur kalimat, susunan kalimat
urutan munculnya komponen kalimat seperti subjek, objek, predikat, dsb dalam sebuah kalimat

1) 주어 + 서술어(자동사)

subjek + predikat(kata kerja intransitif)

예 (contoh) : 바람이 불어요.

2) 주어 + 서술어(형용사)

subjek + predikat(adjektiva)

예 (contoh) : 날씨가 좋아요.

3) 주어 + 서술어(체언+서술격 조사 '이다')

subjek + predikat(substantif+partikel kasus predikatif '이다')

예 (contoh) : 이것이 책상이다.

4) 주어 + 목적어 + 서술어(타동사)

subjek + objek + predikat(kata kerja transitif)

예 (contoh) : 친구가 밥을 먹어요.

5) 주어 + 목적어 + 필수 부사어 + 서술어(타동사)

subjek + objek + wajib kata keterangan + predikat(kata kerja transitif)

예 (contoh) : 어머니께서 용돈을 나에게 주셨다.

1) <u>체언</u>(명사/대명사/수사)이/가 + <u>형용사 어간어미</u>
           <주어>   <서술어>

2) <u>체언이/가</u> + <u>체언을/를</u> + <u>타동사 어간어미</u>
     <주어>   <목적어>   <서술어>

7. 띄어쓰기 : 글을 쓸 때, 각 낱말마다 띄어서 쓰는 일. 또는 그것에 관한 규칙.

spasi, jarak tulisan
kegiatan menulis dengan memberikan jarak di tiap kata saat menulis, atau peraturan yang terkait dengan itu

1) 체언조사 (띄어쓰기) 용언 어간어미

   substantifpartikel (spasi) predikat akar kataakhiran

   예 (contoh) : 밥을 (spasi) 먹어요

2) 관형사 (띄어쓰기) 명사

   pewatas (spasi) nomina

   예 (contoh) : 새 (spasi) 옷

3) 용언 어간관형사형 어미 '-은/-ㄴ, -는, -을/-ㄹ, -던' (띄어쓰기) 명사

   predikat akar kataakhiran bentuk pewatas '-은/-ㄴ, -는, -을/-ㄹ, -던 (spasi) nomina

   예 (contoh) : 기다리는 (spasi) 사람 / 좋은 (spasi) 사람

4) 형용사 어간부사형 어미 '-게' (띄어쓰기) 용언 어간어미

   adjektiva akar kataakhiran bentuk adverbia '-게' (spasi) predikat akar kataakhiran

   예 (contoh) : 행복하게 (spasi) 살자

5) 명사인 (띄어쓰기) 명사

   nomina인 (spasi) nomina

   예 (contoh) : 대학생인 (spasi) 친구

8. 문장 부호 : 문장의 뜻을 정확히 전달하고, 문장을 읽고 이해하기 쉽도록 쓰는 부호.

tanda baca

tanda yang digunakan untuk menyampaikan arti sebuah kalimat dengan jelas dan agar kalimat mudah dibaca serta dipahami

1) 마침표 (.) : 문장을 끝맺거나 연월일을 표시하거나 특정한 의미가 있는 날을 표시하거나 장, 절, 항 등을 표시하는 문자나 숫자 다음에 쓰는 문장 부호.

titik

tanda baca yang digunakan untuk mengakhiri kalimat, menyatakan tanggal atau hari tertentu, yang digunakan setelah huruf atau bilangan yang menyatakan pasal, ayat, artikel, dan sebagainya

2) 물음표 (?) : 의심이나 의문을 나타내거나 적절한 말을 쓰기 어렵거나 모르는 내용임을 나타낼 때 쓰는 문장 부호.

tanda tanya

nama lambang kalimat '?' yang digunakan untuk mengutarakan pertanyaan atau keraguan, menyatakan hal yang tidak tahu, dan jika susah mencari kata tepat

3) 느낌표 (!) : 강한 느낌을 표현할 때 문장 마지막에 쓰는 문장 부호 '!'의 이름.

tanda seru

nama dari tanda baca '!' yang digunakan di akhir kalimat untuk mengekspresikan perasaan kuat/keras

4) 쉼표 (,) : 어구를 나열하거나 문장의 연결 관계를 나타내는 문장 부호.

tanda koma

tanda baca yang digunakan di antara unsur-unsur dalam suatu perincian atau digunakan untuk menyatakan hubungan kalimat

5) 줄임표 (……) : 할 말을 줄였을 때나 말이 없음을 나타낼 때에 쓰는 문장 부호.

elipsis

tanda baca yang digunakan saat menyingkat perkataan yang diucapkan atau untuk menyatakan tidak berkata-kata

< 참고(perujukan) 문헌(referensi) >

고려대학교 한국어대사전, 고려대학교 민족문화연구원, 2009
우리말샘, 국립국어원, 2016
표준국어대사전, 국립국어원, 1999
한국어교육 문법 자료편, 한글파크, 2016
한국어 교육학 사전, 하우, 2014
한국어기초사전, 국립국어원, 2016
한국어 문법 총론 Ⅰ, 집문당, 2015

HANPUK

한국어 동사 290 형용사 137 bahasa Indonesia(penerjemahan)

발　행 | 2024년 6월 10일
저　자 | 주식회사 한글2119연구소
펴낸이 | 한건희
펴낸곳 | 주식회사 부크크
출판사등록 | 2014.07.15.(제2014-16호)
주　소 | 서울특별시 금천구 가산디지털1로 119 SK트윈타워 A동 305호
전　화 | 1670-8316
이메일 | info@bookk.co.kr

ISBN | 979-11-410-8872-9

www.bookk.co.kr